ACTUELLES

(Chroniques 1944-1948)

ŒUVRES D'ALBERT CAMUS

nrf

Récits-Nouvelles

L'ETRANGER.
LA PESTE.
LA CHUTE.
L'EXIL ET LE ROYAUME.

Essais

NOCES.
LE MYTHE DE SISYPHE.
LETTRES A UN AMI ALLEMAND.
ACTUELLES, chroniques 1944-1948.
ACTUELLES II, chroniques 1948-1953.
CHRONIQUES ALGÉRIENNES, 1939-1958 (*Actuelles III*).
L'HOMME RÉVOLTÉ.
L'ETE.
L'ENVERS ET L'ENDROIT.
DISCOURS DE SUÈDE.

Théâtre

LE MALENTENDU — CALIGULA.
L'ETAT DE SIÈGE.
LES JUSTES.

Adaptations et Traductions

LES ESPRITS, de Pierre de Larivey.
LA DÉVOTION A LA CROIX, de Pedro Calderon de la Barca.
REQUIEM POUR UNE NONNE, de William Faulkner.
LE CHEVALIER D'OLMEDO, de Lope de Vega.
LES POSSÉDÉS, d'après le roman de Dostoïevski.

ALBERT CAMUS

ACTUELLES

CHRONIQUES 1944-1948

GALLIMARD

A RENÉ CHAR

Il vaut mieux périr que haïr et craindre ; il vaut mieux périr deux fois que se faire haïr et redouter ; telle devra être un jour la suprême maxime de toute société organisée politiquement.

NIETZSCHE.

AVANT-PROPOS

Ce volume résume l'expérience d'un écrivain mêlé pendant quatre ans à la vie publique de son pays. On y trouvera un choix des éditoriaux publiés dans Combat jusqu'en 1946 et une série d'articles ou de témoignages suscités par l'actualité de 1946 à 1948. Il s'agit donc d'un bilan.

Cette expérience se solde, comme il est naturel, par la perte de quelques illusions et par le renforcement d'une conviction plus profonde. J'ai seulement veillé, comme je le devais, à ce que mon choix ne masque rien des positions qui me sont devenues étrangères. Un certain nombre des éditoriaux de Combat, par exemple, figurent ici non pour leur valeur, souvent relative, ni pour leur contenu qui, parfois, n'a plus mon accord, mais parce qu'ils m'ont paru significatifs. Pour un ou deux d'entre eux, à la vérité, je ne les relis

*pas aujourd'hui sans malaise, ni tristesse, et il
m'a fallu faire effort pour les reproduire. Mais
ce témoignage ne supportait aucune omission.*

*Je crois avoir fait ainsi la part de mes in-
justices. On verra seulement que j'ai laissé
parler en même temps une conviction qui, elle
du moins, n'a pas varié. Et, pour finir, j'ai
fait aussi la part de la fidélité et de l'espoir.
C'est en ne refusant rien de ce qui a été pensé
et vécu à cette époque, c'est en faisant l'aveu
du doute et de la certitude, en consignant l'erreur qui, en politique, suit la conviction
comme son ombre, que ce livre restera fidèle
à une expérience qui fut celle de beaucoup de
Français et d'Européens. Aussi longtemps que,
serait-ce dans un seul esprit, la vérité sera
acceptée pour ce qu'elle est et telle qu'elle est,
il y aura place pour l'espoir.*

*Voilà pourquoi je n'approuve pas cet écri-
vain de talent qui, récemment invité à une
conférence sur la culture européenne, refusait
son concours en déclarant que cette culture,
étouffée entre deux empires géants, était
morte. Il est vrai sans doute qu'une part, au
moins, de cette culture est morte le jour où
cet écrivain forma en lui-même cette pensée.
Mais, bien que ce livre soit composé d'écrits
déjà anciens, il répond d'une certaine manière, me semble-t-il, à ce pessimisme. Le vrai*

désespoir ne naît pas devant une adversité obstinée, ni dans l'épuisement d'une lutte inégale. Il vient de ce qu'on ne connaît plus ses raisons de lutter et si, justement, il faut lutter. Les pages qui suivent disent simplement que si la lutte est difficile, les raisons de lutter, elles du moins, restent toujours claires.

LA LIBÉRATION DE PARIS

LE SANG DE LA LIBERTÉ

(*Combat*, 24 août 1944.)

Paris fait feu de toutes ses balles dans la nuit d'août. Dans cet immense décor de pierres et d'eaux, tout autour de ce fleuve aux flots lourds d'histoire, les barricades de la liberté, une fois de plus, se sont dressées. Une fois de plus, la justice doit s'acheter avec le sang des hommes.

Nous connaissons trop ce combat, nous y sommes trop mêlés par la chair et par le cœur pour accepter, sans amertume, cette terrible condition. Mais nous connaissons trop aussi son enjeu et sa vérité pour refuser le difficile destin qu'il faut bien que nous soyons seuls à porter.

Le temps témoignera que les hommes de France ne voulaient pas tuer, et qu'ils sont

entrés les mains pures dans une guerre qu'ils
n'avaient pas choisie. Faut-il donc que leurs
raisons aient été immenses pour qu'ils abat-
tent soudain leurs poings sur les fusils et
tirent sans arrêt, dans la nuit, sur ces soldats
qui ont cru pendant deux ans que la guerre
était facile.

Oui, leurs raisons sont immenses. Elles ont
la dimension de l'espoir et la profondeur de
la révolte. Elles sont les raisons de l'avenir
pour un pays qu'on a voulu maintenir pendant si longtemps dans la rumination morose
de son passé. Paris se bat aujourd'hui pour
que la France puisse parler demain. Le peuple est en armes ce soir parce qu'il espère une
justice pour demain. Quelques-uns vont disant que ce n'est pas la peine et qu'avec de la
patience Paris sera délivré à peu de frais. Mais
c'est qu'ils sentent confusément combien de
choses sont menacées par cette insurrection, qui
resteraient debout si tout se passait autrement.

Il faut, au contraire, que cela devienne bien
clair : personne ne peut penser qu'une liberté,
conquise dans ces convulsions, aura le visage
tranquille et domestiqué que certains se plai-
sent à lui rêver. Ce terrible enfantement est
celui d'une révolution.

On ne peut pas espérer que des hommes qui
ont lutté quatre ans dans le silence et des jours

entiers dans le fracas du ciel et des fusils, consentent à voir revenir les forces de la démission et de l'injustice sous quelque forme que ce soit. On ne peut pas s'attendre, eux qui sont les meilleurs, qu'ils acceptent à nouveau de faire ce qu'ont fait pendant vingt-cinq ans les meilleurs et les purs, et qui consistait à aimer en silence leur pays et à mépriser en silence ses chefs. Le Paris qui se bat ce soir veut commander demain. Non pour le pouvoir, mais pour la justice, non pour la politique, mais pour la morale, non pour la domination de leur pays, mais pour sa grandeur.

Notre conviction n'est pas que cela se fera, mais que cela se fait aujourd'hui, dans la souffrance et l'obstination du combat. Et c'est pourquoi, par-dessus la peine des hommes, malgré le sang et la colère, ces morts irremplaçables, ces blessures injustes et ces balles aveugles, ce ne sont pas des paroles de regret, mais ce sont des mots d'espoir, d'un terrible espoir d'hommes isolés avec leur destin, qu'il faut prononcer.

Cet énorme Paris noir et chaud, avec ses deux orages dans le ciel et dans les rues, nous paraît, pour finir, plus illuminé que cette Ville Lumière que nous enviait le monde entier. Il éclate de tous les feux de l'espérance et de la douleur, il a la flamme du courage

lucide, et tout l'éclat, non seulement de la
libération, mais de la liberté prochaine.

———

LA NUIT DE LA VÉRITÉ

(Combat, 25 août 1944.)

Tandis que les balles de la liberté sifflent
encore dans la ville, les canons de la libération franchissent les portes de Paris, au milieu des cris et des fleurs. Dans la plus belle
et la plus chaude des nuits d'août, le ciel de
Paris mêle aux étoiles de toujours les balles
traçantes, la fumée des incendies et les fusées
multicolores de la joie populaire. Dans cette
nuit sans égale s'achèvent quatre ans d'une
histoire monstrueuse et d'une lutte indicible
où la France était aux prises avec sa honte et
sa fureur.

Ceux qui n'ont jamais désespéré d'eux-mêmes ni de leur pays trouvent sous ce ciel leur
récompense. Cette nuit vaut bien un monde,
c'est la nuit de la vérité. La vérité en armes et
au combat, la vérité en force après avoir été
si longtemps la vérité aux mains vides et à la

poitrine découverte. Elle est partout dans cette
nuit où peuple et canon grondent en même
temps. Elle est la voix même de ce peuple et
de ce canon, elle a le visage triomphant et
épuisé des combattants de la rue, sous les ba-
lafres et la sueur. Oui, c'est bien la nuit de la
vérité et de la seule qui soit valable, celle qui
consent à lutter et à vaincre.

Il y a quatre ans, des hommes se sont levés
au milieu des décombres et du désespoir et
ont affirmé avec tranquillité que rien n'était
perdu. Ils ont dit qu'il fallait continuer et que
les forces du bien pouvaient toujours triompher des forces du mal à condition de payer
le prix. Ils ont payé le prix. Et ce prix sans
doute a été lourd, il a eu tout le poids du
sang, l'affreuse pesanteur des prisons. Beaucoup de ces hommes sont morts, d'autres
vivent depuis des années entre des murs aveugles. C'était le prix qu'il fallait payer. Mais
ces même hommes, s'ils le pouvaient, ne nous
reprocheraient pas cette terrible et merveilleuse joie qui nous emplit comme une marée.

Car cette joie ne leur est pas infidèle. Elle
les justifie au contraire et elle dit qu'ils ont
eu raison. Unis dans la même souffrance pendant quatre ans, nous le sommes encore dans
la même ivresse, nous avons gagné notre solidarité. Et nous reconnaissons avec étonnement

dans cette nuit bouleversante que pendant
quatre ans nous n'avons jamais été seuls.
Nous avons vécu les années de la fraternité.

De durs combats nous attendent encore.
Mais la paix reviendra sur cette terre éventrée
et dans ces cœurs torturés d'espérances et de
souvenirs. On ne peut pas toujours vivre de
meurtres et de violence. Le bonheur, la juste
tendresse, auront leur temps. Mais cette paix
ne nous trouvera pas oublieux. Et pour certains d'entre nous, le visage de nos frères dé-
figurés par les balles, la grande fraternité virile de ces années ne nous quitteront jamais.
Que nos camarades morts gardent pour eux
cette paix qui nous est promise dans la nuit
haletante et qu'ils ont déjà conquise. Notre
combat sera le leur.

Rien n'est donné aux hommes et le peu
qu'ils peuvent conquérir se paye de morts injustes. Mais la grandeur de l'homme n'est pas
là. Elle est dans sa décision d'être plus fort
que sa condition. Et si sa condition est injuste,
il n'a qu'une façon de la surmonter qui est
d'être juste lui-même. Notre vérité de ce soir,
celle qui plane dans ce ciel d'août, fait justement la consolation de l'homme. Et c'est la
paix de notre cœur comme c'était celle de nos
camarades morts de pouvoir dire devant la
victoire revenue, sans esprit de retour ni de

revendication : « Nous avons fait ce qu'il fallait. »

———

LE TEMPS DU MÉPRIS

(Combat, 3o août 1944.)

Trente-quatre Français torturés, puis assassinés à Vincennes, ce sont là des mots qui ne disent rien si l'imagination n'y supplée pas. Et que voit l'imagination ? Deux hommes face à face dont l'un s'apprête à arracher les ongles d'un autre qui le regarde.

Ce n'est pas la première fois que ces insupportables images nous sont proposées. En 1933, a commencé une époque qu'un des plus grands parmi nous a justement appelée le temps du mépris. Et pendant dix ans, à chaque nouvelle que des êtres nus et désarmés avaient été patiemment mutilés par des hommes dont le visage était fait comme le nôtre, la tête nous tournait et nous demandions comment cela était possible.

Cela pourtant était possible. Pendant dix ans, cela a été possible et aujourd'hui, comme pour nous avertir que la victoire des armes ne triomphe pas de tout, voici encore des cama-

rades éventrés, des membres déchiquetés et
des yeux dont on a écrasé le regard à coups
de talon. Et ceux qui ont fait cela savaient
céder leur place dans le métro, tout comme
Himmler, qui a fait de la torture une science
et un métier, rentrait pourtant chez lui par la
porte de derrière, la nuit, pour ne pas réveiller son canari favori.

Oui, cela était possible, nous le voyons trop
bien. Mais tant de choses le sont et pourquoi
avoir choisi de faire celle-ci plutôt qu'une
autre ? C'est qu'il s'agissait de tuer l'esprit et
d'humilier les âmes. Quand on croit à la force,
on connaît bien son ennemi. Mille fusils bra-
qués sur lui n'empêcheront pas un homme
de croire en lui-même à la justice d'une
cause. Et s'il meurt, d'autres justes diront
« non » jusqu'à ce que la force se lasse. Tuer
le juste ne suffit donc pas, il faut tuer son
esprit pour que l'exemple d'un juste renon-
çant à la dignité de l'homme décourage tous
les justes ensemble et la justice elle-même.

Depuis dix ans, un peuple s'est appliqué à
cette destruction des âmes. Il était assez sûr
de sa force pour croire que l'âme était désormais le seul obstacle et qu'il fallait s'occuper
d'elle. Ils s'en sont occupés et, pour leur malheur, ils y ont quelquefois réussi. Ils savaient
qu'il est toujours une heure de la journée et

de la nuit où le plus courageux des hommes
se sent lâche

Ils ont toujours su attendre cette heure. Et
à cette heure, ils ont cherché l'âme à travers
les blessures du corps, ils l'ont rendue hagarde et folle, et, parfois, traîtresse et men-
teuse.

Qui oserait parler ici de pardon ? Puisque
l'esprit a enfin compris qu'il ne pouvait vaincre l'épée que par l'épée, puisqu'il a pris les
armes et atteint la victoire, qui voudrait lui
demander d'oublier ? Ce n'est pas la haine
qui parlera demain, mais la justice elle-même,
fondée sur la mémoire. Et c'est de la justice
la plus éternelle et la plus sacrée, que de pardonner peut-être pour tous ceux d'entre nous
qui sont morts sans avoir parlé, avec la paix
supérieure d'un cœur qui n'a jamais trahi,
mais de frapper terriblement pour les plus
courageux d'entre nous dont on a fait des
lâches en dégradant leur âme, et qui sont
morts désespérés, emportant dans un cœur
pour toujours ravagé leur haine des autres et
leur mépris d'eux-mêmes.

LE JOURNALISME CRITIQUE

CRITIQUE DE LA NOUVELLE PRESSE

(*Combat,* 31 août 1944.)

Puisque, entre l'insurrection et la guerre, une pause nous est aujourd'hui donnée, je voudrais parler d'une chose que je connais bien et qui me tient à cœur, je veux dire la presse. Et puisqu'il s'agit de cette nouvelle presse qui est sortie de la bataille de Paris, je voudrais en parler avec, en même temps, la fraternité et la clairvoyance que l'on doit à des camarades de combat.

Lorsque nous rédigions nos journaux dans la clandestinité, c'était naturellement sans histoires et sans déclarations de principe. Mais je sais que pour tous nos camarades de tous nos journaux, c'était avec un grand espoir secret. Nous avions l'espérance que ces hommes, qui avaient couru des dangers mortels au nom de quelques idées qui leur étaient chères, sauraient donner à leur pays la presse

qu'il méritait et qu'il n'avait plus. Nous savions par expérience que la presse d'avant-
guerre était perdue dans son principe et dans
sa morale. L'appétit de l'argent et l'indifférence aux choses de la grandeur avaient opéré
en même temps pour donner à la France une
presse qui, à de rares exceptions près, n'avait
d'autre but que de grandir la puissance de
quelques-uns et d'autre effet que d'avilir la
moralité de tous. Il n'a donc pas été difficile
à cette presse de devenir ce qu'elle a été de
1940 à 1944, c'est-à dire la honte de ce pays.

Notre désir, d'autant plus profond qu'il
était souvent muet, était de libérer les journaux de l'argent et de leur donner un ton et
une vérité qui mettent le public à la hauteur
de ce qu'il y a de meilleur en lui. Nous pen-
sions alors qu'un pays vaut souvent ce que
vaut sa presse. Et s'il est vrai que les journaux
sont la voix d'une nation, nous étions décidés, à notre place et pour notre faible part, à
élever ce pays en élevant son langage. A tort
ou à raison, c'est pour cela que beaucoup
d'entre nous sont morts dans d'inimaginables
conditions et que d'autres souffrent la solitude
et les menaces de la prison.

En fait, nous avons seulement occupé des
locaux, où nous avons confectionné des journaux que nous avons publiés en pleine ba-

taille. C'est une grande victoire et, de ce point de vue, les journalistes de la Résistance ont montré un courage et une volonté qui méritent le respect de tous. Mais, et je m'excuse de le dire au milieu de l'enthousiasme général, cela est peu de chose puisque tout reste à faire. Nous avons conquis les moyens de faire cette révolution profonde que nous désirions. Encore faut-il que nous la fassions vraiment. Et pour tout dire d'un mot, la presse libérée, telle qu'elle se présente à Paris après une dizaine de numéros, n'est pas très satisfaisante.

Ce que je me propose de dire dans cet article et dans ceux qui suivront, je voudrais qu'on le prenne bien. Je parle au nom d'une fraternité de combat et personne n'est ici visé en particulier. Les critiques qu'il est possible de faire s'adressent à toute la presse sans exception, et nous nous y comprenons. Dira-t-on que cela est prématuré, qu'il faut laisser à nos journaux le temps de s'organiser avant de faire cet examen de conscience ? La réponse est « non ».

Nous sommes bien placés pour savoir dans quelles incroyables conditions nos journaux ont été fabriqués. Mais la question n'est pas là. Elle est dans un certain ton qu'il était possible d'adopter dès le début et qui ne l'a pas été. C'est au contraire au moment où cette

presse est en train de se faire, où elle va prendre son visage définitif qu'il importe qu'elle
s'examine. Elle saura mieux ce qu'elle veut
être et elle le deviendra.

Que voulions-nous ? Une presse claire et
virile, au langage respectable. Pour des hom
mes qui, pendant des années, écrivant un article, savaient que cet article pouvait se payer
de la prison et de la mort, il était évident que
les mots avaient leur valeur et qu'ils devaient
être réfléchis. C'est cette responsabilité du
journaliste devant le public qu'ils voulaient
restaurer.

Or, dans la hâte, la colère ou le délire de
notre offensive, nos journaux ont péché par
paresse. Le corps, dans ces journées, a tant
travaillé que l'esprit a perdu de sa vigilance.
Je dirai ici en général ce que je me propose
ensuite de détailler : beaucoup de nos journaux ont repris des formules qu'on croyait
périmées et n'ont pas craint les excès de la
rhétorique ou les appels à cette sensibilité de
midinette qui faisaient avant la déclaration de
guerre ou après, le plus clair de nos journaux.

Dans le premier cas, il faut que nous nous
persuadions bien que nous réalisons seulement le décalque, avec une symétrie inverse,
de la presse d'occupation. Dans le deuxième
cas, nous reprenons, par esprit de facilité, des

formules et des idées qui menacent la moralité même de la presse et du pays. Rien de tout cela n'est possible, ou alors il faut démissionner et désespérer de ce que nous avons à faire.

Puisque les moyens de nous exprimer sont dès maintenant conquis, notre responsabilité vis-à-vis de nous-mêmes et du pays est entière. L'essentiel, et c'est l'objet de cet article, est que nous en soyons bien avertis. La tâche de chacun de nous est de bien penser ce qu'il se propose de dire, de modeler peu à peu l'esprit du journal qui est le sien, d'écrire attentivement et de ne jamais perdre de vue cette immense nécessité où nous sommes de redonner à un pays sa voix profonde. Si nous faisons que cette voix demeure celle de l'énergie plutôt que de la haine, de la fière objectivité et non de la rhétorique, de l'humanité plutôt que de la médiocrité, alors beaucoup de choses seront sauvées et nous n'aurons pas démérité.

—

LE JOURNALISME CRITIQUE

(*Combat*, 8 septembre 1944.)

Il faut bien que nous nous occupions aussi

du journalisme d'idées. La conception que la presse française se fait de l'information pourrait être meilleure, nous l'avons déjà dit. On veut informer vite au lieu d'informer bien. La vérité n'y gagne pas.

On ne peut donc raisonnablement regretter que les articles de fond prennent à l'information un peu de la place qu'elle occupe si mal. Une chose du moins est évidente, l'information telle qu'elle est fournie aujourd'hui aux journaux, et telle que ceux-ci l'utilisent, ne peut se passer d'un commentaire critique. C'est la formule à laquelle pourrait tendre la presse dans son ensemble.

D'une part, le journaliste peut aider à la compréhension des nouvelles par un ensemble de remarques qui donnent leur portée exacte à des informations dont ni la source ni l'intention ne sont toujours évidentes. Il peut, par exemple, rapprocher dans sa mise en page des dépêches qui se contredisent et les mettre en doute l'une par l'autre. Il peut éclairer le public sur la probabilité qu'il est convenable d'attacher à telle information, sachant qu'elle émane de telle agence ou de tel bureau à l'étranger. Pour donner un exemple précis, il est bien certain que, parmi la foule de bureaux entretenus à l'étranger, avant la guerre, par les agences, quatre ou cinq seulement présentaient les garanties de véracité qu'une presse décidée à jouer son rôle doit réclamer. Il revient au journaliste, mieux renseigné que le public, de lui présenter, avec le maximum de réserves, des informations dont il connaît bien la précarité.

A cette critique directe, dans le texte et dans les sources, le journaliste pourrait ajouter des exposés aussi clairs et aussi précis que possible qui mettraient le public au fait de la technique d'information. Puisque le lecteur s'intéresse au docteur Petiot et à l'escroquerie aux bijoux, il n'y a pas de raisons immédiates pour que le fonctionnement d'une agence internationale de presse ne l'intéresse pas. L'avantage serait de mettre en garde son sens critique au lieu de s'adresser à son esprit de facilité. La question est seulement de savoir si cette information critique est techniquement possible. Ma conviction sur ce point est positive.

Il est un autre apport du journaliste au public. Il réside dans le commentaire politique et moral de l'actualité. En face des forces désordonnées de l'histoire, dont les informations sont le reflet, il peut être bon de noter, au jour le jour, la réflexion d'un esprit ou les observations communes de plusieurs esprits. Mais cela ne peut se faire sans scrupules, sans

distance et sans une certaine idée de la relativité. Certes, le goût de la vérité n'empêche
pas la prise de parti. Et même, si l'on a commencé de comprendre ce que nous essayons
de faire dans ce journal, l'un ne s'entend pas
sans l'autre. Mais, ici comme ailleurs, il y a
un ton à trouver, sans quoi tout est dévalo-
risé.

Pour prendre des exemples dans la presse
d'aujourd'hui, il est certain que la précipita-
tion étonnante des armées alliées et des nouvelles internationales, la certitude de la victoire remplaçant soudain l'espoir infatigable
de la libération, l'approche de la paix enfin,
forcent tous les journaux à définir sans retard
ce que veut le pays et ce qu'il est. C'est pourquoi il est tant question de la France dans
leurs articles. Mais, bien entendu, il s'agit
d'un sujet qu'on ne peut toucher qu'avec
d'infinies précautions et en choisissant ses
mots. A vouloir reprendre les clichés et les
phrases patriotiques d'une époque où l'on est
arrivé à irriter les Français avec le mot même
de patrie, on n'apporte rien à la définition
cherchée. Mais on lui retire beaucoup. A des
temps nouveaux, il faut, sinon des mots nouveaux, du moins des dispositions nouvelles de
mots. Ces arrangements, il n'y a que le cœur
pour les dicter, et le respect que donne le vé-

ritable amour. C'est à ce prix seulement que
nous contribuerons, pour notre faible part, à
donner à ce pays le langage qui le fera écouter.

On le voit, cela revient à demander que les
articles de fond aient du fond et que les nouvelles fausses ou douteuses ne soient pas pré-
sentées comme des nouvelles vraies. C'est cet
ensemble de démarches que j'appelle le journalisme critique. Et, encore une fois, il y faut
du ton et il y faut aussi le sacrifice de beaucoup de choses. Mais cela suffirait peut-être
si l'on commençait d'y réfléchir.

———

AUTOCRITIQUE

(*Combat*, 22 novembre 1944.)

Faisons un peu d'auto-critique. Le métier
qui consiste à définir tous les jours, et en face
de l'actualité, les exigences du bon sens et de
la simple honnêteté d'esprit ne va pas sans
danger. A vouloir le mieux, on se voue à
juger le pire et quelquefois aussi ce qui est
seulement moins bien. Bref, on peut prendre
l'attitude systématique du juge, de l'institu-

teur ou du professeur de morale. De ce métier
à la prétention ou à la sottise, il n'y a qu'un
pas.

Nous espérons ne l'avoir pas franchi. Mais
nous ne sommes pas sûrs que nous ayons
échappé toujours au danger de laisser entendre que nous croyons avoir le privilège de la
clairvoyance et la supériorité de ceux qui ne
se trompent jamais. Il n'en est pourtant rien.
Nous avons le désir sincère de collaborer à
l'œuvre commune par l'exercice périodique
de quelques règles de conscience dont il nous
semble que la politique n'a pas fait, jusqu'ici,
un grand usage.

C'est toute notre ambition et, bien entendu,
si nous marquons les limites de certaines pensées ou actions politiques, nous connaissons
aussi les nôtres, essayant seulement d'y remédier par l'usage de deux ou trois scrupules.
Mais l'actualité est exigeante et la frontière
qui sépare la morale du moralisme, incer-
taine. Il arrive, par fatigue et par oubli, qu'on
la franchisse.

Comment échapper à ce danger ? Par l'ironie. Mais nous ne sommes pas, hélas ! dans
une époque d'ironie. Nous sommes encore
dans le temps de l'indignation. Sachons seulement garder, quoi qu'il arrive, le sens du
relatif et tout sera sauvé.

Certes, nous ne lisons pas sans irritation, au lendemain de la prise de Metz, et sachant ce qu'elle a coûté, un reportage sur l'entrée de Marlène Dietrich à Metz. Et nous aurons toujours raison de nous en indigner. Mais il faut comprendre, en même temps, que cela ne signifie pas pour nous que les journaux doivent être forcément ennuyeux. Simplement, nous ne pensons pas qu'en temps de guerre, les caprices d'une vedette soient nécessairement plus intéressants que la douleur des peuples, le sang des armées, ou l'effort acharné d'une nation pour trouver sa vérité.

Tout cela est difficile. La justice est à la fois une idée et une chaleur de l'âme. Sachons la prendre dans ce qu'elle a d'humain, sans la transformer en cette terrible passion abstraite qui a mutilé tant d'hommes. L'ironie ne nous est pas étrangère et ce n'est pas nous que nous prenons au sérieux. C'est seulement l'épreuve indicible de ce pays et la formidable aventure qu'il lui faut vivre aujourd'hui. Cette distinction donnera en même temps sa mesure et sa relativité à notre effort quotidien.

Il nous a paru nécessaire aujourd'hui de nous dire cela et de le dire en même temps à nos lecteurs pour qu'ils sachent que dans tout ce que nous écrivons, jour après jour, nous ne sommes pas oublieux du devoir de réflexion et de scrupule qui doit être celui de tous les journalistes. Pour tout dire, nous ne nous oublions pas dans l'effort de critique qui nous paraît nécessaire en ce moment.

MORALE ET POLITIQUE

I

(*Combat,* 8 septembre 1944.)

Dans le *Figaro* d'hier, M. d'Ormesson commentait le discours du pape. Ce discours appelait déjà beaucoup d'observations. Mais le commentaire de M. d'Ormesson a du moins le mérite de poser très clairement le problème qui se présente aujourd'hui à l'Europe.

« Il s'agit, dit-il, de mettre en harmonie la liberté de l'individu, qui est plus nécessaire, plus sacrée que jamais, et l'organisation collective de la société que rendent inévitable les conditions de la vie moderne. »

Cela est très bien dit. Nous proposerons seulement à M. d'Ormesson une formule plus raccourcie en disant qu'il s'agit pour nous tous de concilier la justice avec la liberté. Que la vie soit libre pour chacun et juste pour tous, c'est le but que nous avons à poursui-

vre. Entre des pays qui s'y sont efforcés, qui
ont inégalement réussi, faisant passer la
liberté avant la justice ou bien celle-ci avant
celle-là, la France a un rôle à jouer dans la
recherche d'un équilibre supérieur.

Il ne faut pas se le cacher, cette conciliation
est difficile. Si l'on en croit du moins l'Histoire, elle n'a pas encore été possible, comme
s'il y avait entre ces deux notions un principe
de contrariété. Comment cela ne serait-il pas ?
La liberté pour chacun, c'est aussi la liberté
du banquier ou de l'ambitieux : voilà l'injustice restaurée. La justice pour tous, c'est la
soumission de la personnalité au bien collectif. Comment parler alors de liberté absolue ?

M. d'Ormesson est d'avis, cependant, que
le christianisme a fourni cette solution. Qu'il
permette à un esprit extérieur à la religion,
mais respectueux de la conviction d'autrui,
de lui dire ses doutes sur ce point. Le christianisme dans son essence (et c'est sa para-
doxale grandeur) est une doctrine de l'injustice. Il est fondé sur le sacrifice de l'innocent
et l'acceptation de ce sacrifice. La justice au
contraire, et Paris vient de le prouver dans
ses nuits illuminées des flammes de l'insurrection, ne va pas sans la révolte.

Faut-il donc renoncer à cet effort apparem-
ment sans portée ? Non, il ne faut pas y re-

noncer, il faut simplement en mesurer l'immense difficulté et la faire apercevoir à ceux qui, de bonne foi, veulent tout simplifier.

Pour le reste, sachons que c'est le seul effort qui, dans le monde d'aujourd'hui, vaille qu'on vive et qu'on lutte. Contre une condition si désespérante, la dure et merveilleuse tâche de ce siècle est de construire la justice dans le plus injuste des mondes et de sauver la liberté de ces âmes vouées à la servitude dès leur principe. Si nous échouons, les hommes retourneront à la nuit. Mais, du moins, cela aura été tenté.

Cet effort, enfin, demande de la clairvoyance et cette prompte vigilance qui nous avertira de penser à l'individu chaque fois que nous aurons réglé la chose sociale et de revenir au bien de tous chaque fois que l'individu aura sollicité notre attention. Une constance si difficile, M. d'Ormesson a raison de penser que le chrétien peut la soutenir, grâce à l'amour du prochain. Mais, d'autres, qui ne vivent pas dans la foi, ont cependant l'espoir d'y parvenir aussi par un simple souci de vérité, l'oubli de leur propre personne, et le goût de la grandeur humaine.

———

II

(Combat, 7 octobre 1944.)

Le 26 mars 1944, à Alger, le Congrès de
« Combat » a affirmé que le mouvement
« Combat » faisait sienne la formule : « L'anticommunisme est le commencement de la
dictature. » Nous croyons bon de le rappeler
et d'ajouter que rien ne peut être changé
aujourd'hui à cette formule, au moment où
nous voudrions nous expliquer avec quelques-
uns de nos camarades communistes sur des
malentendus que l'on voit poindre. Notre conviction est, en effet, que rien de bon ne peut
se faire en dehors de la lumière. Et nous voudrions essayer, aujourd'hui, de tenir sur un
sujet difficile entre tous le langage de la raison et de l'humanité.

Le principe que nous avons posé au début
ne l'a pas été sans réflexion. Et c'est l'expérience de ces vingt-cinq dernières années qui
dictait cette proposition catégorique. Cela ne
signifie pas que nous sommes communistes.
Mais les chrétiens non plus qui, pourtant, ont
admis leur unité d'action avec les communistes. Et notre position, comme celle des chrétiens, revient à dire : Si nous ne sommes pas

d'accord avec la philosophie du communisme
ni avec sa morale pratique, nous refusons
énergiquement l'anticommunisme politique,
parce que nous en connaissons les inspira-
tions et les buts inavoués.

Une position aussi ferme devrait ne laisser
aucune place à aucun malentendu. Cela n'est
pas cependant. Il faut donc que nous ayons
été maladroits dans notre expression, ou simplement obscurs. Notre tâche est alors d'essayer de comprendre ces malentendus et d'en
rendre compte. Il n'y aura jamais assez de
franchise ni de clarté répandues sur l'un des
problèmes les plus importants du siècle.

Disons donc nettement que la source des
malentendus possibles tient dans une différence de méthode. La plus grande partie des
idées collectivistes et du programme social de
nos camarades, leur idéal de justice, leur dégoût d'une société où l'argent et les privilèges
tiennent le premier rang, tout cela nous est
commun. Simplement, et nos camarades le
reconnaissent volontiers, ils trouvent dans
une philosophie de l'histoire très cohérente la
justification du réalisme politique comme méthode privilégiée pour aboutir au triomphe
d'un idéal commun à beaucoup de Français.
C'est sur ce point que, très clairement, nous
nous séparons d'eux. Nous l'avons dit maintes

4

fois, nous ne croyons pas au réalisme politique. Notre méthode est différente.

Nos camarades communistes peuvent comprendre que des hommes qui n'étaient pas en
possession d'une doctrine aussi ferme que la
leur aient trouvé beaucoup à réfléchir pendant ces quatre années. Ils l'ont fait avec
bonne volonté, au milieu de mille périls.
Parmi tant d'idées bouleversées, tant de purs
visages sacrifiés, au milieu des décombres, ils
ont senti le besoin d'une doctrine et d'une
vie nouvelles. Pour eux, c'est tout un monde
qui est mort en juin 1940.

Aujourd'hui, ils cherchent cette nouvelle
vérité avec la même bonne volonté et sans
esprit d'exclusive. On peut bien comprendre
aussi que ces mêmes hommes, réfléchissant
sur la plus amère des défaites, conscients aussi
de leurs propres défaillances, aient jugé que
leur pays avait péché par confusion et que
désormais l'avenir ne pourrait prendre son
sens que dans un grand effort de clairvoyance
et de renouvellement.

C'est la méthode que nous essayons d'appliquer aujourd'hui. C'est celle dont nous voudrions qu'on nous reconnaisse le droit de la
tenter avec bonne foi. Elle ne prétend pas à
refaire toute la politique d'un pays. Elle veut
essayer de provoquer dans la vie politique de

ce même pays une expérience très limitée qui consisterait, par une simple critique objective, à introduire le langage de la morale dans l'exercice de la politique. Cela revient à dire oui et non en même temps et à le dire avec le même sérieux et la même objectivité.

Si on nous lisait avec attention, et la simple bienveillance qu'on peut accorder à toute entreprise de bonne foi, on verrait que souvent, nous rendons d'une main, et au delà, ce que nous semblons retirer de l'autre. Si l'on s'attache seulement à nos objections, le malentendu est inévitable. Mais si on équilibre ces objections par l'affirmation plusieurs fois répétée ici de notre solidarité, on reconnaîtra sans peine que nous essayons de ne pas céder à la vaine passion humaine et de toujours rendre sa justice à l'un des mouvements les plus considérables de l'histoire politique.

Il peut arriver que le sens de cette difficile méthode ne soit pas toujours évident. Le journalisme n'est pas l'école de la perfection. Il faut cent numéros de journal pour préciser une seule idée. Mais cette idée peut aider à en préciser d'autres, à condition qu'on apporte à l'examiner la même objectivité qu'on a mise à la formuler. Il se peut aussi que nous nous trompions et que notre méthode soit utopique ou impossible. Mais nous pensons seulement

que nous ne pouvons pas le déclarer avant
d'avoir rien tenté. C'est cette expérience que
nous faisons ici, aussi loyalement qu'il est
possible à des hommes qui n'ont d'autre souci
que la loyauté.

Nous demandons seulement à nos camarades communistes d'y réfléchir comme nous
nous efforçons de réfléchir à leurs objections.
Nous y gagnerons du moins de pouvoir préciser chacun notre position et, pour notre part
du moins, de voir plus clairement les difficultés ou les chances de notre entreprise. C'est
là du moins ce qui nous amène à leur tenir ce
langage. Et aussi le juste sentiment que nous
avons de ce que la France serait amenée à
perdre si, par nos réticences et nos méfiances
réciproques, nous étions conduits à un climat
politique où les meilleurs des Français se refuseraient à vivre, préférant alors la solitude
à la polémique et à la désunion.

———

III

(*Combat*, 12 octobre 1944.)

On parle beaucoup d'ordre, en ce moment.

C'est que l'ordre est une bonne chose et nous en avons beaucoup manqué. A vrai dire, les hommes de notre génération ne l'ont jamais connu et ils en ont une sorte de nostalgie qui leur ferait faire beaucoup d'imprudences s'ils n'avaient pas en même temps la certitude que l'ordre doit se confondre avec la vérité. Cela les rend un peu méfiants, et délicats, sur les échantillons d'ordre qu'on leur propose.

Car l'ordre est aussi une notion obscure. Il en est de plusieurs sortes. Il y a celui qui continue de régner à Varsovie, il y a celui qui cache le désordre et celui, cher à Gœthe, qui s'oppose à la justice. Il y a encore cet ordre supérieur des cœurs et des consciences qui s'appelle l'amour et cet ordre sanglant, où l'homme se nie lui-même, et qui prend ses pouvoirs dans la haine. Nous voudrions bien dans tout cela distinguer le bon ordre.

De toute évidence, celui dont on parle aujourd'hui est l'ordre social. Mais l'ordre social, est-ce seulement la tranquillité des rues ? Cela n'est pas sûr. Car enfin, nous avons tous eu l'impression, pendant ces déchirantes journées d'août que l'ordre commençait justement avec les premiers coups de feu de l'insurrection. Sous leur visage désordonné, les révolutions portent avec elles un principe d'ordre. Ce principe régnera si la

révolution est totale. Mais lorsqu'elles avor-
tent, ou s'arrêtent en chemin, c'est un grand
désordre monotone qui s'instaure pour beaucoup d'années.

L'ordre, est-ce du moins l'unité du gouvernement ? Il est certain qu'on ne saurait s'en
passer. Mais le Reich allemand avait réalisé
cette unité dont nous ne pouvons pas dire
pourtant qu'elle ait donné à l'Allemagne son
ordre véritable.

Peut-être la simple considération de la conduite individuelle nous aiderait-elle. Quand
dit-on qu'un homme a mis sa vie en ordre ?
Il faut pour cela qu'il se soit mis d'accord avec
elle et qu'il ait conformé sa conduite à ce qu'il
croit vrai. L'insurgé qui, dans le désordre de
la passion, meurt pour une idée qu'il a faite
sienne, est en réalité un homme d'ordre parce
qu'il a ordonné toute sa conduite à un principe qui lui paraît évident. Mais on ne pourra
jamais nous faire considérer comme un
homme d'ordre ce privilégié qui fait ses trois
repas par jour pendant toute une vie, qui a
sa fortune en valeurs sûres, mais qui rentre
chez lui quand il y a du bruit dans la rue. Il
est seulement un homme de peur et d'épargne.
Et si l'ordre français devait être celui de la
prudence et de la sécheresse de cœur, nous
serions tentés d'y voir le pire désordre, puis-

que, par indifférence, il autoriserait toutes les
injustices.

De tout cela, nous pouvons tirer qu'il n'y
a pas d'ordre sans équilibre et sans accord.
Pour l'ordre social, ce sera un équilibre entre
le gouvernement et ses gouvernés. Et cet
accord doit se faire au nom d'un principe supérieur. Ce principe, pour nous, est la justice.
Il n'y a pas d'ordre sans justice et l'ordre
idéal des peuples réside dans leur bonheur.

Le résultat, c'est qu'on ne peut invoquer la
nécessité de l'ordre pour imposer des volontés. Car on prend ainsi le problème à l'envers. Il ne faut pas seulement exiger l'ordre
pour bien gouverner, il faut bien gouverner
pour réaliser le seul ordre qui ait du sens. Ce
n'est pas l'ordre qui renforce la justice, c'est
la justice qui donne sa certitude à l'ordre.

Personne autant que nous ne peut désirer
cet ordre supérieur où, dans une nation en
paix avec elle-même et avec son destin, chacun aura sa part de travail et de loisirs, où
l'ouvrier pourra œuvrer sans amertume et
sans envie, où l'artiste pourra créer sans être
tourmenté par le malheur de l'homme, où
chaque être enfin pourra réfléchir, dans le
silence du cœur, à sa propre condition.

Nous n'avons aucun goût pervers pour ce
monde de violence et de bruit, où le meilleur

de nous-mêmes s'épuise dans une lutte désespérée. Mais puisque la partie est engagée, nous
croyons qu'il faut la mener à son terme. Nous
croyons ainsi qu'il est un ordre dont nous ne
voulons pas parce qu'il consacrerait notre démission et la fin de l'espoir humain. C'est
pourquoi, si profondément décidés que nous
soyons à aider à la fondation d'un ordre enfin
juste, il faut savoir aussi que nous sommes
déterminés à rejeter pour toujours la célèbre
phrase d'un faux grand homme et à déclarer
que nous préférerons éternellement le désordre à l'injustice.

——

IV

(Combat, 29 octobre 1944.)

Le ministre de l'Information a prononcé,
avant-hier, un discours que nous approuvons
dans son entier. Mais il est un point sur lequel
il nous faut revenir parce qu'il n'est pas si
commun qu'un ministre tienne à son pays le
langage d'une morale virile et lui rappelle les
devoirs nécessaires.

M. Teitgen a démonté cette mécanique de

la concession qui a conduit tant de Français
de la faiblesse à la trahison. Chaque concession faite à l'ennemi et à l'esprit de facilité en
entraînait une autre Celle-ci n'était pas plus
grave que la première, mais les deux, bout à
bout, formaient une lâcheté. Deux lâchetés
réunies faisaient le déshonneur.

C'est en effet le drame de ce pays. Et s'il est
difficile à régler, c'est qu'il engage toute la
conscience humaine. Car il pose un problème
qui a le tranchant du oui ou du non.

La France vivait sur une sagesse usée qui
expliquait aux jeunes générations que la vie
était ainsi faite qu'il fallait savoir faire des
concessions, que l'enthousiasme n'avait qu'un
temps, et que dans un monde où les malins
avaient forcément raison, il fallait essayer de
ne pas avoir tort.

Nous en étions là. Et quand les hommes de
notre génération sursautaient devant l'injustice, on les persuadait que cela leur passerait.
Ainsi, de proche en proche, la morale de la
facilité et du désabusement s'est propagée.
Qu'on juge de l'effet que put faire dans ce
climat la voix découragée et chevrotante qui
demandait à la France de se replier sur elle-
même. On gagne toujours en s'adressant à ce
qui est le plus facile à l'homme, et qui est le
goût du repos. Le goût de l'honneur, lui, ne

va pas sans une terrible exigence envers soi-
même et envers les autres. Cela est fatigant,
bien sûr. Et un certain nombre de Français
étaient fatigués d'avance en 1940.

Ils ne l'étaient pas tous. On s'est étonné que
beaucoup d'hommes entrés dans la résistance
ne fussent pas des patriotes de profession.
C'est d'abord que le patriotisme n'est pas une
profession. Et qu'il est une manière d'aimer
son pays qui consiste à ne pas le vouloir injuste, et à le lui dire. Mais c'est aussi que le
patriotisme n'a pas toujours suffi à faire lever
ces hommes pour l'étrange lutte qui était la
leur. Il y fallait aussi cette délicatesse du cœur
qui répugne à toute transaction, la fierté dont
l'usage bourgeois faisait un défaut et, pour
tout résumer, la capacité de dire non.

La grandeur de cette époque, si misérable
d'autre part, c'est que le choix y est devenu
pur. C'est que l'intransigeance est devenue le
plus impérieux des devoirs et c'est que la morale de la concession a reçu, enfin, sa sanction. Si les malins avaient raison, il a fallu
accepter d'avoir tort. Et si la honte, le mensonge et la tyrannie faisaient les conditions
de la vie, il a fallu accepter de mourir.

C'est ce pouvoir d'intransigeance et de dignité qu'il nous faut restaurer aujourd'hui
dans toute la France et à tous les échelons. Il

faut savoir que chaque médiocrité consentie,
chaque abandon et chaque facilité nous font
autant de mal que les fusils de l'ennemi. Au
bout de ces quatre ans de terribles épreuves,
la France épuisée connaît l'étendue de son
drame qui est de n'avoir plus droit à la fatigue. C'est la première condition de notre relè-
vement et l'espoir du pays est que les mêmes
hommes qui ont su dire non mettront demain
la même fermeté et le même désintéressement
à dire oui, et qu'ils sauront enfin demander
à l'honneur ses vertus positives comme ils
ont su lui prendre ses pouvoirs de refus.

———

V

(Combat, 4 novembre 1944.)

Il y a deux jours, Jean Guehenno a publié,
dans le *Figaro* un bel article qu'on ne saurait laisser passer sans dire la sympathie et
le respect qu'il doit inspirer à tous ceux qui
ont quelque souci de l'avenir des hommes. Il
y parlait de la pureté : le sujet est difficile.

Il est vrai que Jean Guehenno n'eût sans

doute pas pris sur lui d'en parler si dans un
autre article, intelligent quoique injuste, un
jeune journaliste ne lui avait fait reproche
d'une pureté morale dont il craignait qu'elle
se confondît avec le détachement intellectuel.
Jean Guehenno y répond très justement en
plaidant pour une pureté maintenue dans
l'action. Et, bien entendu, c'est le problème
du réalisme qui est posé : il s'agit de savoir si
tous les moyens sont bons.

Nous sommes tous d'accord sur les fins,
nous différons d'avis sur les moyens. Nous
apportons tous, n'en doutons pas, une passion désintéressée au bonheur impossible des
hommes. Mais simplement il y a ceux qui,
parmi nous, pensent qu'on peut tout employer pour réaliser ce bonheur, et il y a ceux
qui ne le pensent pas. Nous sommes de ceux-
ci. Nous savons avec quelle rapidité les
moyens sont pris pour les fins, nous ne voulons pas de n'importe quelle justice. Cela peut
provoquer l'ironie des réalistes et Jean Guehenno vient de l'éprouver. Mais c'est lui qui
a raison et notre conviction est que son appa-
rente folie est la seule sagesse souhaitable
pour aujourd'hui. Car il s'agit de faire, en
effet, le salut de l'homme. Non pas en se pla-
çant hors du monde, mais à travers l'histoire
elle-même. Il s'agit de servir la dignité de

l'homme par des moyens qui restent dignes au milieu d'une histoire qui ne l'est pas. On mesure la difficulté et le paradoxe d'une pareille entreprise.

Nous savons, en effet, que le salut des hommes est peut-être impossible, mais nous disons que ce n'est pas une raison pour cesser de le tenter et nous disons surtout qu'il n'est pas permis de le dire impossible avant d'avoir fait une bonne fois ce qu'il fallait pour démontrer qu'il ne l'était pas.

Aujourd'hui, l'occasion nous en est donnée. Ce pays est pauvre et nous sommes pauvres avec lui. L'Europe est misérable, sa misère est la nôtre. Sans richesses et sans héritage matériel, nous sommes peut-être entrés dans une liberté où nous pouvons nous livrer à cette folie qui s'appelle la vérité.

Il nous est arrivé ainsi de dire déjà notre conviction qu'une dernière chance nous était donnée. Nous pensons vraiment qu'elle est la dernière. La ruse, la violence, le sacrifice aveugle des hommes, il y a des siècles que ces moyens ont fait leurs preuves. Ces preuves sont amères. Il n'y a plus qu'une chose à tenter, qui est la voie moyenne et simple d'une honnêteté sans illusions, de la sage loyauté, et l'obstination à renforcer seulement la dignité humaine. Nous croyons que l'idéalisme

est vain. Mais notre idée, pour finir, est que
le jour où des hommes voudront mettre au
service du bien le même entêtement et la
même énergie inlassable que d'autres mettent
au service du mal, ce jour-là les forces du bien
pourront triompher — pour un temps très
court peut-être, mais pour un temps cependant, et cette conquête sera alors sans mesure.

Pourquoi, nous dira-t-on enfin, revenir sur
ce débat ? Il y a tant de questions plus urgen-
tes qui sont d'ordre pratique. Mais nous
n'avons jamais reculé à parler de ces questions
d'ordre pratique. La preuve est que lorsque
nous en parlons, nous ne contentons pas tout
le monde.

Et, par ailleurs, il fallait bien y revenir
parce qu'en vérité, il n'est pas de question
plus urgente. Oui, pourquoi revenir sur ce
débat ? Pour que le jour où, dans un monde
rendu à la sagesse réaliste, l'humanité sera
retournée à la démence et à la nuit, des hommes comme Guehenno se souviennent qu'ils
ne sont pas seuls et pour qu'ils sachent alors
que la pureté, quoi qu'on en pense, n'est
jamais un désert.

———

VI

(Combat, 24 novembre 1944.)

Plus on y réfléchit, plus on se persuade qu'une doctrine socialiste est en train de prendre corps dans de larges fractions de l'opinion politique. Nous l'avons seulement indiqué hier. Mais le sujet vaut qu'on y apporte de la précision. Car enfin, rien de tout cela n'est original. Des critiques mal disposés pourraient s'étonner que les hommes de la résistance et beaucoup de Français avec eux aient fait tant d'efforts pour en arriver là.

Mais d'abord, il n'est pas absolument nécessaire que les doctrines politiques soient nouvelles. La politique (nous ne disons pas l'action) n'a que faire du génie. Les affaires humaines sont compliquées dans leur détail, mais simples dans leur principe.

La justice sociale peut très bien se faire sans une philosophie ingénieuse. Elle demande quelques vérités de bon sens et ces choses simples que sont la clairvoyance, l'énergie et le désintéressement. En ces matières, vouloir faire du neuf à tout prix, c'est travailler pour l'an 2000. Et c'est tout de suite, demain si possible, que les affaires de notre société doivent être mises en ordre.

En second lieu, les doctrines ne sont pas efficaces par leur nouveauté, mais seulement par l'énergie qu'elles véhiculent et par l'esprit de sacrifice des hommes qui les servent. Il est difficile de savoir si le socialisme théorique a représenté quelque chose de profond pour les socialistes de la IIIe République. Mais aujourd'hui, il est comme une brûlure pour beaucoup d'hommes. C'est qu'il donne une forme à l'impatience et à la fièvre de justice qui les animent.

Enfin, c'est peut-être au nom d'une idée diminuée du socialisme qu'on serait tenté de croire qu'en arriver là est peu de chose. Il y a une certaine forme de cette doctrine que nous détestons peut-être plus encore que les politiques de tyrannie. C'est celle qui se repose dans l'optimisme, qui s'autorise de l'amour de l'humanité pour se dispenser de servir les hommes, du progrès inévitable pour esquiver les questions de salaires, et de la paix universelle pour éviter les sacrifices nécessaires. Ce socialisme-là est fait surtout du sacrifice des autres. Il n'a jamais engagé celui qui le professait. En un mot, ce socialisme a peur de tout et de la révolution.

Nous avons connu cela. Et il est vrai que ce

serait peu de chose s'il fallait seulement y
revenir. Mais il est un autre socialisme, qui
est décidé à payer. Il refuse également le mensonge et la faiblesse. Il ne se pose pas la question futile du progrès, mais il est persuadé
que le sort de l'homme est toujours entre les
mains de l'homme.

Il ne croit pas aux doctrines absolues et
infaillibles, mais à l'amélioration obstinée,
chaotique mais inlassable, de la condition humaine. La justice pour lui vaut bien une révolution. Et si celle-ci lui est plus difficile qu'à
d'autres, parce qu'il n'a pas le mépris de
l'homme, il a plus de chances aussi de ne
demander que des sacrifices utiles. Quant à
savoir si une telle disposition du cœur et de
l'esprit peut se traduire dans les faits, c'est
un point sur lequel nous reviendrons.

Nous voulions dissiper aujourd'hui quelques équivoques. Il est évident que le socialisme de la IIIᵉ République n'a pas répondu
aux exigences que nous venons de formuler.
Il a chance, aujourd'hui, de se réformer. Nous
le souhaitons. Mais nous souhaitons aussi que
les hommes de la résistance et les Français
qui se sentent en accord avec eux, gardent
intactes ces exigences fondamentales. Car si
le socialisme traditionnel veut se réformer, il
ne le fera pas seulement en appelant à lui ces

hommes nouveaux qui commencent à prendre
conscience de cette nouvelle doctrine. Il le
fera en venant lui-même à cette doctrine et en
acceptant de s'y incorporer totalement. Il n'y
a pas de socialisme sans engagement et fidélité de tout l'être, voilà ce que nous savons
aujourd'hui. Et c'est cela qui est nouveau.

———

VII

(Combat, 26 décembre 1944.)

Le Pape vient d'adresser au monde un message où il prend ouvertement position en faveur de la démocratie. Il faut s'en féliciter.
Mais nous croyons aussi que ce message très
nuancé demande un commentaire également
nuancé. Nous ne sommes pas sûrs que ce commentaire exprimera l'opinion de tous nos camarades de « Combat », parmi ceux qui sont
chrétiens. Mais nous sommes sûrs qu'il traduit les sentiments d'une grande partie d'entre eux.

Puisque l'occasion nous en est donnée, nous
voudrions dire que notre satisfaction n'est pas
pure de tout regret. Il y a des années que nous
attendions que la plus grande autorité spiri-

tuelle de ce temps voulût bien condamner en
termes clairs les entreprises des dictatures. Je
dis en termes clairs. Car cette condamnation
peut ressortir de certaines encycliques, à condition de les interpréter. Mais elle y est for-
mulée dans le langage de la tradition qui n'a
jamais été clair pour la grande foule des hommes.

Or, c'était la grande foule des hommes qui
attendait pendant toutes ces années qu'une
voix s'élevât pour dire nettement, comme
aujourd'hui, où se trouvait le mal. Notre vœu
secret était que cela fût dit au moment même
où le mal triomphait et où les forces du bien
étaient bâillonnées. Que cela soit dit aujour-
d'hui où l'esprit de dictature chancelle dans
le monde, nous pensons évidemment qu'il
faut s'en réjouir. Mais nous ne voulions pas
seulement nous réjouir, nous voulions croire
et admirer. Nous voulions que l'esprit fît ses
preuves avant que la force vînt l'appuyer et
lui donner raison.

Ce message qui désavoue Franco, comme
nous aurions voulu le voir lancer en 1936, afin
que Georges Bernanos n'eût pas à parler ni à
maudire. Cette voix qui vient de dicter au
monde catholique le parti à prendre, elle était
la seule qui pût parler au milieu des tortures
et des cris, la seule qui pût nier tranquille-

ment et sans crainte la force aveugle des blin-
dés.

Disons-le clairement, nous aurions voulu
que le Pape prît parti, au cœur même de ces
années honteuses, et dénonçât ce qui était à
dénoncer. Il est dur de penser que l'Eglise a
laissé ce soin à d'autres, plus obscurs, qui
n'avaient pas son autorité, et dont certains
étaient privés de l'espérance invincible dont
elle vit. Car l'Eglise n'avait pas à s'occuper
alors de durer ou de se préserver. Même dans
les chaînes, elle n'eût pas cessé d'être. Et elle
y aurait trouvé au contraire une force qu'aujourd'hui nous sommes tentés de ne pas lui
reconnaître.

Du moins, voici ce message. Et maintenant,
les catholiques qui ont donné le meilleur
d'eux-mêmes dans la lutte commune savent
qu'ils ont eu raison et qu'ils étaient dans le
bien. Les vertus de la démocratie sont reconnues par le Pape. Mais c'est ici que les nuances interviennent. Car cette démocratie est entendue au sens large. Et le Pape dit qu'elle
peut comprendre aussi bien la république que
la monarchie. Cette démocratie se défie de la
masse, que Pie XII distingue subtilement du
peuple. Elle admet aussi les inégalités de la
condition sociale, sauf à les tempérer par l'esprit de fraternité.

La démocratie, telle qu'elle est définie dans ce texte, a paradoxalement une nuance radicale-socialiste qui ne laisse pas de nous surprendre. Au reste, le grand mot est prononcé, lorsque le pape dit son désir d'un régime modéré.

Certes, nous comprenons ce vœu. Il y a une modération de l'esprit qui doit aider à l'intelligence des choses sociales, et même au bonheur des hommes. Mais tant de nuances et tant de précautions laissent toute licence aussi à la modération la plus haïssable de toutes, qui est celle du cœur. C'est celle, justement, qui admet les conditions inégales et qui souffre la prolongation de l'injustice. Ces conseils de modération sont à double tranchant. Ils risquent aujourd'hui de servir ceux qui veulent tout conserver et qui n'ont pas compris que quelque chose doit être changé. Notre monde n'a pas besoin d'âmes tièdes. Il a besoin de cœurs brûlants qui sachent faire à la modération sa juste place. Non, les chrétiens des premiers siècles n'étaient pas des modérés. Et l'Eglise, aujourd'hui, devrait avoir à tâche de ne pas se laisser confondre avec les forces de conservation.

C'est là du moins ce que nous voulions dire, parce que nous voudrions que tout ce qui a un nom et un honneur en ce monde

serve la cause de la liberté et de la justice.
Dans cette lutte, nous ne serons jamais trop.
C'est la seule raison de nos réserves. Qui som-
mes-nous, en effet, pour oser critiquer la plus
haute autorité spirituelle du siècle ? Rien, justement, que de simples défenseurs de l'esprit,
mais qui se sentent une exigence infinie à
l'égard de ceux dont la mission est de représenter l'esprit.

—

VIII

(Combat, 11 janvier 1945.)

M. Mauriac vient de publier sur le « mépris
de la charité » un article que je ne trouve ni
juste ni charitable. Pour la première fois, il a
pris, dans les questions qui nous séparent, un
ton sur lequel je ne veux pas insister, et que
moi, du moins, je ne prendrai pas. Je n'y
aurais pas répondu d'ailleurs si les circonstances ne me forçaient à quitter ces débats
quotidiens où les meilleurs et les pires d'entre
nous ont parlé pendant des mois, sans que
rien fût éclairci qui nous importe vraiment.
Je n'aurais pas répondu si je n'avais pas le
sentiment que cette discussion, dont le sujet

est notre vie même, commence à tourner à la confusion. Et puisque je suis visé personnellement, je voudrais, avant d'en finir, parler en mon nom et essayer une dernière fois de rendre clair ce que j'ai voulu dire.

Chaque fois qu'à propos de l'épuration, j'ai parlé de justice, M. Mauriac a parlé de charité. Et la vertu de la charité est assez singulière pour que j'aie eu l'air, réclamant la justice, de plaider pour la haine. On dirait vraiment, à entendre M. Mauriac, qu'il nous faille absolument choisir, dans ces affaires quotidiennes, entre l'amour du Christ et la haine des hommes. Eh bien ! non. Nous sommes quelques-uns à refuser à la fois les cris de détestation qui nous viennent d'un côté et les sollicitations attendries qui nous arrivent de l'autre. Et nous cherchons, entre les deux, cette juste voix qui nous donnera la vérité sans la honte. Nous n'avons pas besoin pour cela d'avoir des clartés sur tout, mais seulement de désirer la clarté, avec cette passion de l'intelligence et du cœur sans laquelle ni M. Mauriac ni nous-mêmes ne ferons rien de bon.

C'est ce qui me permet de dire que la charité n'a rien à faire ici. J'ai l'impression, à cet égard, que M. Mauriac lit très mal les textes qu'il se propose de contredire. Je vois bien que c'est un écrivain d'humeur et non de raisonnement, mais je voudrais qu'en ces matières nous parlions sans humeur. Car M. Mauriac m'a bien mal lu s'il pense que je m'avise de sourire devant le monde qui nous est offert. Quand je dis que la charité qu'on propose comme exemple à vingt peuples affamés de justice n'est qu'une dérisoire consolation, je prie mon contradicteur de croire que je le fais sans sourire.

Tant que je respecterai ce qu'est M. Mauriac, j'aurai le droit de refuser ce qu'il pense. Il n'est pas nécessaire pour cela de concevoir ce mépris de la charité qu'il m'attribue généreusement. Les positions me semblent claires, au contraire. M. Mauriac ne veut pas ajouter à la haine et je le suivrai bien volontiers. Mais je ne veux pas qu'on ajoute au mensonge et c'est ici que j'attends qu'il m'approuve. Pour tout dire, j'attends qu'il dise ouvertement qu'il y a aujourd'hui une justice nécessaire.

En vérité, je ne crois pas qu'il le fera : c'est une responsabilité qu'il ne prendra pas. M. Mauriac qui a écrit que notre République saurait être dure, médite d'écrire bientôt un mot qu'il n'a pas encore prononcé et qui est celui de pardon. Je voudrais seulement lui dire que je vois deux chemins de mort pour notre pays (et il y a des façons de survivre qui

ne valent pas mieux que la mort). Ces deux
chemins sont ceux de la haine et du pardon.
Ils me paraissent aussi désastreux l'un que
l'autre. Je n'ai aucun goût pour la haine. La
seule idée d'avoir des ennemis me paraît la
chose la plus lassante du monde, et il nous a
fallu, mes camarades et moi, le plus grand
effort pour supporter d'en avoir. Mais le pardon ne me paraît pas plus heureux et pour
aujourd'hui, il aurait des airs d'injure. Dans
tous les cas, ma conviction est qu'il ne nous
appartient pas. Si j'ai l'horreur des condamnations, cela ne regarde que moi. Je pardon-
nerai ouvertement avec M. Mauriac quand les
parents de Velin, quand la femme de Leynaud
m'auront dit que je le puis. Mais pas avant,
jamais avant, pour ne pas trahir, au prix
d'une effusion du cœur, ce que j'ai toujours
aimé et respecté dans ce monde, qui fait la
noblesse des hommes et qui est la fidélité.

Cela est peut-être dur à entendre. Je voudrais seulement que M. Mauriac sentît que cela
n'est pas moins dur à dire. J'ai écrit nettement que Béraud ne méritait pas la mort,
mais j'avoue n'avoir pas d'imagination pour
les fers que, selon M. Mauriac, les condamnés
de la trahison portent aux chevilles. Il nous
a fallu trop d'imagination, justement, et pendant quatre ans, pour des milliers de Français

qui avaient l'honneur pour eux et que des journalistes dont on veut faire des martyrs désignaient tous les jours à tous les supplices. En tant qu'homme, j'admirerai peut-être M. Mauriac de savoir aimer des traîtres, mais en tant que citoyen, je le déplorerai, parce que cet amour nous amènera justement une nation de traîtres et de médiocres et une société dont nous ne voulons plus.

Pour finir, M. Mauriac me jette le Christ à la face. Je voudrais seulement lui dire ceci avec la gravité qui convient : je crois avoir une juste idée de la grandeur du christianisme, mais nous sommes quelques-uns dans ce monde persécuté à avoir le sentiment que si le Christ est mort pour certains, il n'est pas mort pour nous. Et dans le même temps, nous nous refusons à désespérer de l'homme. Sans avoir l'ambition déraisonnable de le sauver, nous tenons au moins à le servir. Si nous consentons à nous passer de Dieu et de l'espérance, nous ne nous passons pas si aisément de l'homme. Sur ce point, je puis bien dire à M. Mauriac que nous ne nous décentragerons pas et que nous refuserons jusqu'au dernier moment une charité divine qui frustrerait les hommes de leur justice.

—

IX

(Combat, 27 juin 1945.)

M. Herriot vient de prononcer des paroles
malheureuses. Une parole malheureuse est
une parole qui ne vient pas à son heure.
M. Herriot a parlé dans une heure qui n'est
plus la sienne et sur un sujet qu'on peut estimer intempestif. Même s'il avait raison, il
n'était pas l'homme désigné pour taxer la nation d'immoralité et pour déclarer que cette
époque ne pouvait donner de leçons à l'époque d'avant guerre.

Si cette condamnation est injuste, c'est
parce qu'elle est d'abord trop générale. Il
est vrai que les Français ont le goût de parier
sur le pire quand il s'agit d'eux-mêmes. Mais
si l'on peut passer ce travers à des hommes
qui ont beaucoup combattu et souffert pour
leur pays, il est difficile de montrer la même
indulgence pour un esprit que son expérience
politique devait avertir et que sa doctrine devait rendre plus modeste.

Il n'y a rien qu'on puisse condamner en
général. et une nation moins que toute autre
chose. M. Herriot devrait savoir que cette épo-

que ne prétend pas donner de leçon de moralité à celle qui l'a précédée. Mais elle a le
droit, acquis au milieu de terribles convulsions, de rejeter purement et simplement la
morale qui l'a menée à la catastrophe.

Car ce ne sont pas sans doute les idées politiques de M. Herriot et de ses collègues radi-
caux qui nous ont perdus. Mais la morale sans
obligation ni sanction qui était la leur, la
France de boutiquiers, de bureaux de tabac et
de banquets législatifs dont ils nous ont gra-
tifiés, a fait plus pour énerver les âmes et dé-
tendre les énergies que des perversions plus
spectaculaires. Dans tous les cas, ce n'est pas
cette morale qui donne à M. Herriot le droit
de condamner les Français de 1945.

Ce peuple est à la recherche d'une morale,
voilà ce qui est vrai. Il est encore dans le provisoire. Mais il a donné assez de preuves de
son dévouement et de son esprit de sacrifice
pour exiger que des hommes politiques qui
ont été représentatifs ne le jugent pas en quelques mots méprisants. Nous comprenons fort
bien le dépit que M. Herriot peut éprouver à
voir rejeter une certaine morale politique
d'avant guerre. Mais il doit s'y résigner. Les
Français sont fatigués des vertus moyennes,
ils savent maintenant ce qu'un conflit moral
étendu à une nation entière peut coûter d'ar-

rachements et de douleur. Il n'est donc pas
étonnant qu'ils se détournent de leurs fausses
élites, puisqu'elles furent d'abord celles de la
médiocrité.

Quelles que soient la sagesse et l'expérience
de M. Herriot, nous sommes beaucoup à penser qu'il n'a plus rien à nous apprendre. S'il
peut nous être utile encore, c'est dans la mesure où, considérant ce qu'il est et ce que fut
son parti, et apercevant ensuite la prodigieuse
aventure que doit courir la France pour re-
naître, nous nous dirons qu'il n'y a pas de
commune mesure et que la rénovation française demande autre chose que ces cœurs
tièdes.

Il est possible que dans l'entourage de
M. Herriot, on préfère deux heures de marché
noir à une semaine de travail. Mais nous pouvons lui assurer qu'il est des millions de Français qui travaillent et qui se taisent. C'est sur
eux qu'il faut juger la nation. C'est pourquoi
nous considérons qu'il est aussi sot de dire
que la France a plus besoin de réforme morale que de réforme politique qu'il le serait
d'affirmer le contraire. Elle a besoin des deux
et justement pour empêcher qu'une nation
soit tout entière jugée sur les scandaleux pro-
fits de quelques misérables. Nous avons toujours mis ici l'accent sur les exigences de la

morale. Mais ce serait un marché de dupes si
ces exigences devaient servir à escamoter la
rénovation politique et institutionnelle dont
nous avons besoin. Il faut faire de bonnes lois
si l'on veut avoir de bons gouvernés. Notre
seul espoir est que ces bonnes lois nous évite-
ront pour un temps convenable le retour au
pouvoir des professeurs de vertu, qui ont fait
ce qu'il fallait pour que les mots de député et
de gouvernement soient en France, pendant
de longues années, un symbole de dérision.

—

X

(Combat, 3o août 1945.)

On nous excusera de commencer aujour-
d'hui par une vérité première : il est certain
désormais que l'épuration en France est non
seulement manquée, mais encore déconsidé-
rée. Le mot d'épuration était déjà assez péni-
ble en lui-même. La chose est devenue odieuse.
Elle n'avait qu'une chance de ne point le devenir qui était d'être entreprise sans esprit de
vengeance ou de légèreté. Il faut croire que
le chemin de la simple justice n'est pas facile

à trouver entre les clameurs de la haine d'une part et les plaidoyers de la mauvaise conscience d'autre part. L'échec en tout cas est complet.

C'est qu'aussi bien la politique s'en est mêlée, avec tous ses aveuglements. Trop de gens ont crié à la mort comme si les travaux forcés, par exemple, étaient une peine qui ne tirait pas à conséquence. Mais trop de gens, au contraire, ont hurlé à la terreur lorsque quelques années de prison venaient récompenser l'exercice de la délation et du déshonneur. Dans tous les cas, nous voici impuissants. Et peut-être le plus sûr aujourd'hui est de faire ce qu'il faut pour que des injustices trop flagrantes n'empoisonnent pas un peu plus un air où les Français ont déjà du mal à respirer.

C'est d'une de ces injustices que nous voulons parler aujourd'hui. La même Cour qui condamna Albertini, recruteur de la L. V. F., à cinq ans de travaux forcés, a condamné à huit ans de la même peine le pacifiste René Gérin, qui avait tenu la chronique littéraire de l'*OEuvre* pendant la guerre. Ni en logique, ni en justice, cela ne peut s'admettre. Nous n'approuvons pas ici René Gérin. Le pacifisme intégral nous paraît mal raisonné et nous savons désormais qu'il vient toujours un

temps où il n'est plus tenable. Nous ne pouvons approuver non plus que Gérin ait écrit,
même sur des sujets littéraires, dans l'*OEuvre*.

Mais il faut cependant respecter les propor-
tions et juger les hommes selon ce qu'ils sont.
On ne punit pas de travaux forcés quelques
articles littéraires, même dans les journaux
de l'occupation. Pour le reste, la position de
Gérin n'a jamais varié. On peut ne pas
partager son point de vue, mais son pacifisme du moins était l'aboutissement d'une
certaine conception de l'homme qui ne peut
être que respectable. Une société se juge elle-
même si au moment où elle n'est pas capa-
ble, faute de définition ou d'idées claires, de
punir d'authentiques criminels, elle envoie
au bagne un homme qui ne s'est trouvé que
par hasard en compagnie de ces faux paci-
fistes qui aimaient l'hitlérisme et non la paix.
Et une société qui veut et qui prétend opérer
sa renaissance. peut-elle ne pas avoir ce souci
élémentaire de clarté et de distinction ?

Gérin n'a dénoncé personne et il n'a parti-
cipé à aucune des entreprises de l'ennemi. Si
l'on jugeait que sa collaboration littéraire à
l'*OEuvre* méritait une sanction, il fallait la
prendre, mais il fallait la mesurer au délit.
A ce degré d'exagération, une telle sanction

ne répare rien. Elle donne seulement le soup-
çon qu'un pareil jugement n'est pas celui de
la nation, mais celui d'une classe. Elle humilie
un homme sans profit pour personne. Elle
discrédite une politique pour le dommage de
tous.

Ce procès, dans tous les cas, demande à
être revisé. Et non pas seulement pour éviter
à un homme des souffrances disproportion-
nées à ses fautes, mais pour que la justice elle-
même soit préservée et devienne, dans un cas
au moins, respectable. Bien que René Gérin
ait été dans un autre camp que le nôtre, il
nous semble que sur ce point toute l'opinion
résistante devrait être avec nous pour sauver
décidément tout ce qui peut encore être sauvé
dans ce domaine.

———

XI

(Combat, 8 août 1945.)

Le monde est ce qu'il est, c'est-à-dire peu
de chose. C'est ce que chacun sait depuis hier
grâce au formidable concert que la radio, les
journaux et les agences d'information viennent de déclencher au sujet de la bombe ato-

mique. On nous apprend, en effet, au milieu
d'une foule de commentaires enthousiastes,
que n'importe quelle ville d'importance
moyenne peut être totalement rasée par une
bombe de la grosseur d'un ballon de football.
Des journaux américains, anglais et français
se répandent en dissertations élégantes sur
l'avenir, le passé, les inventeurs, le coût, la
vocation pacifique et les effets guerriers, les
conséquences politiques et même le caractère
indépendant de la bombe atomique. Nous nous
résumerons en une phrase : la civilisation mécanique vient de parvenir à son dernier degré
de sauvagerie. Il va falloir choisir, dans un
avenir plus ou moins proche, entre le suicide
collectif ou l'utilisation intelligente des conquêtes scientifiques.

En attendant, il est permis de penser qu'il
y a quelque indécence à célébrer ainsi une
découverte, qui se met d'abord au service de
la plus formidable rage de destruction dont
l'homme ait fait preuve depuis des siècles.
Que dans un monde livré à tous les déchirements de la violence, incapable d'aucun con-
trôle, indifférent à la justice et au simple bonheur des hommes, la science se consacre au
meurtre organisé, personne sans doute, à
moins d'idéalisme impénitent, ne songera à
s'en étonner.

Ces découvertes doivent être enregistrées,
commentées selon ce qu'elles sont, annoncées
au monde pour que l'homme ait une juste
idée de son destin. Mais entourer ces terribles
révélations d'une littérature pittoresque ou
humoristique, c'est ce qui n'est pas supportable.

Déjà, on ne respirait pas facilement dans
un monde torturé. Voici qu'une angoisse nouvelle nous est proposée, qui a toutes les chances d'être définitive. On offre sans doute à
l'humanité sa dernière chance. Et ce peut-être
après tout le prétexte d'une édition spéciale.
Mais ce devrait être plus sûrement le sujet de
quelques réflexions et de beaucoup de silence.

Au reste, il est d'autres raisons d'accueillir
avec réserve le roman d'anticipation que les
journaux nous proposent. Quand on voit le
rédacteur diplomatique de l'Agence Reuter
annoncer que cette invention rend caducs les
traités ou périmées les décisions mêmes de
Potsdam, remarquer qu'il est indifférent que
les Russes soient à Kœnigsberg ou la Turquie
aux Dardanelles, on ne peut se défendre de
supposer à ce beau concert des intentions
assez étrangères au désintéressement scientifique.

Qu'on nous entende bien. Si les Japonais
capitulent après la destruction d'Hiroshima et

par l'effet de l'intimidation, nous nous en ré-
jouirons. Mais nous nous refusons à tirer
d'une aussi grave nouvelle autre chose que la
décision de plaider plus énergiquement encore en faveur d'une véritable société internationale, où les grandes puissances n'auront
pas de droits supérieurs aux petites et aux
moyennes nations, où la guerre, fléau devenu
définitif par le seul effet de l'intelligence humaine, ne dépendra plus des appétits ou des
doctrines de tel ou tel Etat.

Devant les perspectives terrifiantes qui s'ouvrent à l'humanité, nous apercevons encore
mieux que la paix est le seul combat qui vaille
d'être mené. Ce n'est plus une prière, mais
un ordre qui doit monter des peuples vers les
gouvernements, l'ordre de choisir définitivement entre l'enfer et la raison.

LA CHAIR

I

(*Combat*, 27 octobre 1944.)

Il nous a été difficile de parler hier de René
Leynaud. Ceux qui auront lu dans un coin de
journal l'annonce qu'un journaliste résistant, répondant à ce nom, avait été fusillé par
les Allemands n'auront accordé qu'une attention distraite à ce qui était pour nous une terrible, une atroce nouvelle. Et pourtant, il faut
que nous parlions de lui. Il faut que nous en
parlions pour que la mémoire de la résistance
se garde, non dans une nation qui risque
d'être oublieuse, mais du moins dans quelques
cœurs attentifs à la qualité humaine.

Il était entré dès les premiers mois dans la
Résistance. Tout ce qui faisait sa vie morale,
le christianisme et le respect de la parole donnée, l'avait poussé à prendre silencieusement
sa place dans cette bataille des ombres. Il avait

choisi le nom de guerre qui répondait à ce qu'il avait de plus pur en lui : pour tous ses camarades de « Combat », il s'appelait Clair.

La seule passion personnelle qu'il eût encore gardée, avec celle de la pudeur, était la poésie. Il avait écrit des poèmes que seuls deux ou trois d'entre nous connaissaient. Ils avaient la qualité de ce qu'il était, c'est-à-dire la transparence même. Mais dans la lutte de tous les jours, il avait renoncé à écrire, se laissant aller seulement à acheter les livres de poésie les plus divers qu'il se réservait de lire après la guerre. Pour le reste, il partageait notre conviction qu'un certain langage et l'obstination de la droiture redonneraient à notre pays le visage sans égal que nous lui espérions. Depuis des mois, sa place l'attendait dans ce journal et avec tout l'entêtement de l'amitié et de la tendresse, nous refusions la nouvelle de sa mort. Aujourd'hui, cela n'est plus possible.

Ce langage qu'il fallait tenir, il ne le tiendra plus. L'absurde tragédie de la résistance est tout entière dans cet affreux malheur. Car des hommes comme Leynaud étaient entrés dans la lutte, convaincus qu'aucun être ne pouvait parler avant de payer de sa personne. Le malheur est que la guerre sans uniforme n'avait pas la terrible justice de la guerre tout

court. Les balles du front frappent n'importe
qui, le meilleur et le pire. Mais pendant ces
quatre ans, ce sont les meilleurs qui se sont
désignés et qui sont tombés, ce sont les meilleurs qui ont gagné le droit de parler et perdu
le pouvoir de le faire.

Celui que nous aimions en tout cas ne parlera plus. Et pourtant la France avait besoin
de voix comme la sienne. Ce cœur fier entre
tous, longtemps silencieux entre sa foi et son
honneur, aurait su dire les paroles qu'il fallait. Mais il est maintenant à jamais silencieux. Et d'autres, qui ne sont pas dignes,
parlent de cet honneur qu'il avait fait sien,
comme d'autres, qui ne sont pas sûrs, parlent
au nom du Dieu qu'il avait choisi.

Il est possible aujourd'hui de critiquer les
hommes de la Résistance, de noter leurs fai-
blesses et de les mettre en accusation. Mais
c'est peut-être parce que les meilleurs d'entre
eux sont morts. Nous le disons parce que nous
le pensons profondément, si nous sommes
encore là, c'est que nous n'avons pas fait
assez. Leynaud a fait assez. Et aujourd'hui,
rendu à cette terre pour nous sans avenir et
pour lui passagère, détourné de cette passion
à laquelle il avait tout sacrifié, nous espérons
du moins que sa consolation sera de ne pas
entendre les paroles d'amertume et de déni-

grement qui retentissent autour de cette pauvre aventure humaine où nous avons été
mêlés.

Qu'on ne craigne rien, nous ne nous servi-
rons pas de lui qui ne s'est jamais servi de
personne. Il est sorti inconnu de cette lutte
où il était entré inconnu. Nous lui garderons
ce qu'il aurait préféré, le silence de notre
cœur, le souvenir attentif et l'affreuse tristesse
de l'irréparable. Mais ici où nous avons toujours tenté de chasser l'amertume, il nous pardonnera de la laisser revenir et de nous mettre
à penser que, peut-être, la mort d'un tel
homme est un prix trop cher pour le droit
redonné à d'autres hommes d'oublier dans
leurs actes et dans leurs écrits ce qu'ont valu
pendant quatre ans le courage et le sacrifice
de quelques Français.

—

II

(*Combat*, 22 décembre 1944.)

La France a vécu beaucoup de tragédies qui,
aujourd'hui, ont reçu leur dénouement. Elle
en vivra encore beaucoup d'autres qui n'ont

pas commencé. Mais il en est une que, depuis
cinq ans, les hommes et les femmes de ce
pays n'ont pas cessé de souffrir, c'est celle de
la séparation.

La patrie lointaine, les amours tranchées,
ces dialogues d'ombres que soutiennent deux
êtres par-dessus les plaines et les montagnes
d'Europe, ou ces monologues stériles que chacun poursuit dans l'attente de l'autre, ce sont
les signes misérables de l'époque. Il y a cinq
ans que des Français et des Françaises attendent. Il y a cinq ans que dans leur cœur sevré,
ils luttent désespérément contre le temps,
contre l'idée que l'absent vieillit et que toutes
ces années sont perdues pour l'amour et le
bonheur.

Oui, cette époque est celle de la séparation.
On n'ose plus prononcer le mot de bonheur
dans ces temps torturés. Et pourtant, des millions d'êtres, aujourd'hui, sont à sa recherche,
et ces années ne sont pour eux qu'un sursis
qui n'en finit plus, et au bout duquel ils espè-
rent que leur bonheur à nouveau sera possible.

Qui donc pourrait les en blâmer ? Et qui
pourrait dire qu'ils ont tort ? Que serait la justice sans la chance du bonheur, de quoi ser-
virait la liberté à la misère ? Nous le savons
bien, nous autres Français, qui sommes en-

trés dans cette guerre, non pour le goût de la
conquête, mais pour défendre justement une
certaine idée du bonheur. Simplement, ce
bonheur était assez farouche et assez pur pour
qu'il nous parût mériter de traverser d'abord
les années du malheur. Gardons donc la mémoire de ce bonheur et de ceux qui l'ont
perdu. Cela ôtera de sa sécheresse à notre lutte
et cela surtout donnera toute sa cruauté au
malheur de la France et à la tragédie de ses
enfants séparés.

Ce n'est pas le lieu ni le moment d'écrire
que la séparation me paraît souvent la règle
et que la réunion n'est que l'exception, le
bonheur un hasard qui se prolonge. Ce qu'on
attend de nous tous, ce sont les mots de l'espérance. Il est vrai que notre génération ne
s'est jamais vu demander qu'une chose, qui
était de se mettre à la hauteur du désespoir.
Mais cela nous prépare mieux, peut-être, à
parler de la plus grande espérance, celle qu'on
va chercher à travers la misère du monde, et
qui ressemble à une victoire. C'est la seule
qui nous paraisse respectable. Il n'est qu'une
chose dont nous ne puissions triompher, et
c'est l'éternelle séparation puisqu'elle termine
tout. Mais pour le reste, il n'y a rien que le
courage et l'amour ne puissent mettre bout à
bout. Un courage de cinq ans, un amour de

cinq ans, c'est l'inhumaine épreuve que des Français et des Françaises se sont vu imposer, et qui mesure bien l'étendue de leur détresse.

C'est tout cela qu'on a eu l'idée de commémorer dans une Semaine de l'Absent. Une semaine, ce n'est pas grand'chose. C'est qu'il est plus facile d'être ingénieux dans le mal que dans le bien. Et quand nous voulons soulager des malheurs, nous n'avons pas tant de moyens, nous donnons de l'argent. J'espère seulement qu'on en donnera beaucoup. Puisque nous ne pouvons rien pour la douleur, faisons quelque chose pour la misère. La douleur en sera plus libre, et tous ces êtres frustrés auront ainsi le loisir de leurs souffrances. Pour beaucoup, ce sera un luxe dont ils sont privés depuis longtemps.

Mais que personne ne se croie quitte et que l'argent donné ne fasse pas les consciences tranquilles, il est des dettes inépuisables. Ceux et celles qui sont là-bas, cette immense foule mystérieuse et fraternelle, nous lui donnons le visage de ceux que nous connaissions et qui nous ont été arrachés. Mais nous savons bien, alors, que nous ne les avons pas assez aimés, que nous n'en avons pas assez profité, du temps où ils se tournaient vers nous. Personne ne les a assez aimés, et pas même leur patrie, puisqu'ils sont aujourd'hui où ils sont. Que

du moins cette semaine, que « notre » semaine, ne nous fasse pas oublier « leurs »
années Qu'elle nous enseigne à ne pas les
aimer d'un amour médiocre, qu'elle nous
donne la mémoire et l'imagination qui seules
peuvent nous rendre dignes d'eux. Par-dessus
tout, qu'elle nous serve à oublier les plus vaines de nos paroles et à préparer le silence que
nous leur offrirons, au jour difficile et merveil-
leux où ils seront devant nous.

———

III

(Combat, 2 janvier 1945.)

Nous avons lu avec le respect et l'approba-
tion qu'elle demandait, la lettre d'un combat-
tant, publiée hier par le *Populaire*. Sa sévé-
rité était légitime, ses condamnations fondées pour la plupart. Quant au désarroi et à
l'amertume qu'elle exprimait, nous les avons
assez soulignés, nous avons assez demandé
qu'on soumette toute la nation à la règle de
guerre, pour que nous n'y revenions pas.

Ceci dit, nous ne pouvons pas approuver
dans la lettre de notre camarade la condamna-

tion qu'il porte contre la jeunesse de l'arrière :
« Jeunesse efflanquée, fantoche et ridicule qui
se moque bruyamment de ce qui la dépasse,
Victor Hugo ou le courage. » Non qu'il soit
possible de contredire ce point de vue. Il n'est
pas raisonné, en effet, il figure seulement un
état d'âme que, d'ailleurs, toute une part de
nous-mêmes comprend et approuve. Mais il
est nécessaire, peut-être, de penser aux jeunes
Français qui seraient tentés, à la lecture de
cette lettre, de douter d'eux-mêmes, imagi-
nant que c'est là ce qu'on peut penser d'eux
et s'affligeant de donner à leurs aînés une
image d'eux-mêmes aussi dérisoire et à ce
point désespérante.

Car cette condamnation n'est pas fondée.
Son défaut est d'être générale, elle est dictée
par la légitime impatience de ceux qui ont
souffert. Il y a dans toute amertume un jugement sur le monde. La déception pousse à gé-
néraliser et l'on parle d'une jeunesse tout
entière quand on a contemplé quelques malheureux. Nous ne voulons pas défendre les
malheureux dont il s'agit, mais nous croyons
possible de témoigner pour cette jeunesse que
les hommes de la collaboration ont insultée
pendant des années et qu'il serait injuste de
condamner dans le temps même où nous
avons besoin d'elle.

La jeunesse de France n'a pas eu la tâche
facile. Une part d'entre elle s'est battue. Et
nous savons bien qu'au jour de l'insurrection, il y avait sur les barricades autant de
visages d'enfants que de faces adultes. D'autres n'ont pas trouvé l'occasion de la lutte ou
n'en ont pas eu la présence d'esprit. Aujour-
d'hui, tous sont dans l'expectative. Deux générations ont légué à cette jeunesse la défiance
des idées et la pudeur des mots. La voici maintenant devant d'immenses tâches pour lesquelles aucun outil ne lui est donné. Elle n'a
rien à faire et tout en ce monde la dépasse.
Qui pourrait dire qu'elle est coupable ? J'ai
vu récemment beaucoup de ces jeunes visages
réunis dans une même salle. Je n'y ai lu que
le sérieux et l'attention. Et justement, cette
jeunesse est attentive. Cela veut dire aussi
qu'elle attend et qu'à cet appel muet personne
encore n'a répondu Ce n'est pas elle, mais
nous, mais le pays entier et le Gouvernement
avec lui, qui sommes responsables de son iso-
lement et de sa passivité.

On ne l'aidera pas avec les mots du mépris.
On l'aidera par une main fraternelle et un
langage viril. Ce pays qui a souffert si longtemps de vieillesse ne peut pas se passer de sa
jeunesse. Mais sa jeunesse a besoin qu'on lui
fasse confiance et qu'on l'entraîne dans un

esprit de grandeur plutôt que dans un climat
de détresse ou de dégoût. La France a connu
le temps du courage désespéré. C'est peut-être
ce courage sans avenir et sans douceur qui l'a
sauvée pour finir. Mais cette violence d'une
âme détournée de tout ne peut pas servir indé-
finiment. Les Français n'ont certes pas besoin
d'illusions. Ils sont déjà trop prompts à les
entretenir. Mais la France ne peut pas vivre
que de défiance et de refus. Sa jeunesse, en
tout cas, a besoin qu'on la fournisse d'affir-
mations pour pouvoir s'affirmer elle-même.

Il est toujours difficile d'unir réellement
ceux qui se battent et ceux qui attendent. La
communauté de l'espoir ne suffit pas, il y
faut celle des expériences. Mais s'il ne sera
jamais possible de fondre dans un même esprit
des hommes dont les souffrances sont différentes, ne faisons rien du moins qui puisse
les opposer. Dans le cas qui nous occupe,
n'ajoutons pas aux angoisses des jeunes Français une condamnation qui les révoltera s'ils
en sentent l'injustice et qui les mettra en situation d'infériorité s'ils s'avisent de la trouver
plausible. Nous avons bien des raisons de céder parfois à l'amertume. Mais dans la mesure
du possible, il faut que nous la gardions pour
nous.

Non, en vérité, cette jeunesse ne se moque

pas de ce qui la dépasse. Celle que nous avons
connue du moins n'a jamais ri que des grands
mots ronflants et elle avait raison. Mais nous
l'avons toujours vue silencieuse au milieu de
la lutte ou devant le spectacle du courage.
C'était la marque de sa qualité et la certitude
d'une âme difficile qui ne demande qu'à s'employer, et qui n'est pas encore responsable de
la solitude où on la laisse.

———

IV

(Combat, 17 mai 1945.)

« Nous avons pour nourriture un litre de
soupe à midi et du café avec trois cents gram-
mes de pain le soir... Nous sommes couverts
de poux et de puces... Tous les jours des Juifs
meurent. Une fois morts, ils sont empilés dans
un coin du camp et l'on attend qu'il y en ait
suffisamment pour les enterrer... Alors, pendant des heures et des jours, le soleil aidant,
une odeur infecte se répand dans le camp juif
et sur le nôtre. »

Ce camp rempli de l'affreuse odeur de la
mort est celui de Dachau. Nous le savions depuis longtemps, et le monde commence à se

lasser de tant d'atrocités. Les délicats y trouvent de la monotonie et nous reprocheront d'en parler encore. Mais la France se trouvera peut-être une sensibilité plus neuve, quand elle saura que ce cri est jeté par un des milliers de déportés politiques de Dachau, huit jours après leur libération par les troupes américaines. Car ces hommes ont été maintenus dans leur camp en attendant un rapatriement qu'ils ne voient pas venir. Dans les lieux mêmes où ils ont cru atteindre l'extrémité de la détresse, ils connaissent aujourd'hui une souffrance plus extrême, puisqu'elle touche maintenant à leur confiance.

Les extraits que nous avons cités sont tirés d'une lettre de quatre pages d'un interné à sa famille. Nous en tenons les références à la disposition de tous. Beaucoup d'informations nous laissaient croire qu'il en était ainsi, en effet, de nos camarades déportés. Mais nous nous retenions d'en parler dans l'attente d'informations plus sûres. Aujourd'hui, ce n'est plus possible. Le premier message qui nous parvient de là-bas est décisif et nous devons crier notre indignation et notre colère. Il y a là une honte qui doit cesser.

Quand les campagnes allemandes regorgent de vivres et de produits, quand les officiers généraux hitlériens mangent à leur habitude, c'est une honte, en effet, que les internés politiques connaissent la faim. Quand les « déportés d'honneur » sont rapatriés immédiatement et en avion, c'est une honte que nos camarades connaissent encore les mêmes horizons désespérants qu'ils ont contemplés pendant des années. Ces hommes ne demandent pas grand'chose. Ils ne veulent pas de traitement de faveur. Ils ne réclament ni médailles, ni discours. Ils veulent seulement rentrer chez eux. Ils en ont assez. Ils ont bien voulu souffrir pour la Libération, mais ils ne peuvent pas comprendre qu'il faille souffrir de la Libération. Oui, ils en ont assez parce qu'on leur aura tout gâché jusqu'à cette victoire qui est aussi, et à un point que ce monde indifférent à l'esprit ne peut pas savoir, leur victoire.

Il faut qu'on sache qu'un seul des cheveux de ces hommes a plus d'importance pour la France et l'univers entier qu'une vingtaine de ces hommes politiques dont des nuées de photographes enregistrent les sourires. Eux, et eux seuls, ont été les gardiens de l'honneur et les témoins du courage. C'est pourquoi il faut qu'on sache que, s'il nous est déjà insupportable de les savoir au milieu de la faim et de la maladie, nous ne supporterons pas qu'on nous les désespère.

Dans cette lettre dont chaque ligne est une raison de fureur et de révolte pour le lecteur, notre camarade dit ce que fut le jour de la victoire à Dachau : « Pas un cri, dit-il, et pas une manifestation, cette journée ne nous apporte rien. » Comprend-on ce que cela veut dire quand il s'agit d'hommes qui, au lieu d'attendre que la victoire leur vienne de l'autre côté des mers, ont tout sacrifié pour hâter ce jour de leur plus chère espérance ? Le voilà donc, ce jour ! Et il faut cependant qu'il les trouve au milieu des cadavres et des puanteurs, arrêtés dans leur élan par des barbelés, interdits devant un monde que, dans leurs plus noires idées, ils n'avaient pu imaginer à ce point stupide et inconscient.

Nous nous arrêterons là. Mais si ce cri n'est pas entendu, si des mesures immédiates ne sont pas annoncées par les organismes alliés, nous répéterons cet appel, nous userons de tous les moyens dont nous disposons pour le crier par-dessus toutes les frontières, et faire savoir au monde quel est le sort que les démocraties victorieuses réservent aux témoins qui se sont laissé égorger pour que les principes qu'elles défendent aient au moins une apparence de vérité.

V

(*Combat*, 19 mai 1945.)

Nous avons protesté avant-hier à propos du sort réservé aux déportés qui sont toujours dans les camps d'Allemagne. Nos camarades de *France-Soir* ont essayé hier de donner à notre protestation une interprétation politique que nous repoussons catégoriquement. Une semblable tentative n'est pas seulement puérile, elle est encore de mauvais ton à propos d'un problème si grave. Nous n'avons ici personne à défendre. Nous n'avons qu'une chose en vue : sauver les plus précieuses des vies françaises. Ni la politique, ni les susceptibilités nationales n'ont plus rien à faire au milieu de cette angoisse.

Ce n'est pas le moment en tout cas de faire des procès, car le procès serait général. C'est le moment de faire vite et de remuer brutalement les imaginations paresseuses et les cœurs insouciants qui nous coûtent aujourd'hui si cher. Il faut agir et agir vite, et si notre voix peut provoquer les remous nécessaires, nous l'emploierons sans épargner personne.

Les Américains nous promettent aujourd'hui de ramener 5.000 déportés par avions et par jour. Cette promesse arrive après notre appel et nous l'enregistrons avec joie et satisfaction. Mais il reste la question des camps en quarantaine. Les camps de Dachau et d'Allach sont décimés par le typhus. A la date du 6 mai, on comptait 120 décès par jour. Les médecins déportés qui sont là-bas demandent que la quarantaine se fasse, non plus dans le camp lui-même qui est surpeuplé et où chaque pouce de terrain est infecté, mais dans le camp de S.S. qui se trouve à quelques kilomètres et qui est propre et confortable. Cela n'a pas encore été obtenu et cela doit l'être.

Quand tout sera réglé, il faudra instruire les responsabilités et elles le seront. Mais il faut réveiller ceux qui dorment, tous ceux qui dorment, sans exception. Il faut leur dire par exemple qu'il est inadmissible que nos camarades déportés n'aient pas une correspondance régulière avec leur famille et que la patrie leur paraisse aujourd'hui aussi lointaine qu'aux jours de leur plus grand malheur. Il faut leur dire encore, et par exemple, que ce ne sont pas des conserves qu'on doit donner à ces organismes délabrés, mais une alimentation médicale qui demande tout un équipement et qui économisera quelques-unes de ces vies irremplaçables.

Nous continuerons en tout cas à protester jusqu'à ce que nous ayons reçu entière satisfaction. Si notre précédent article a soulevé de l'émotion, cela est tant mieux. Il eût mieux valu sans doute que l'émotion n'eût pas besoin d'un article pour naître. Il y a dans Dachau des spectacles qui auraient dû y suffire. Mais le temps n'est pas au regret, il est à l'action.

Pour tout dire en clair, ce n'est pas spécialement aux Américains que nous en avons. On sait du reste que nous faisons ici tout ce qu'il faut pour l'amitié américaine. Mais nous portons une accusation générale à propos de laquelle les responsables doivent se reconnaître, faire amende honorable, et tout mettre en ordre pour réparer leurs oublis et leurs erreurs. Les hommes et les nations ne voient pas toujours où sont leur intérêt et leur vraie richesse.

Les gouvernements, quels qu'ils soient, des démocraties, sont en train de faire la preuve, dans ce cas particulier, qu'ils ignorent où sont leurs vraies élites. Elles sont dans ces camps infects, où quelques survivants d'une troupe héroïque se battent encore contre l'indifférence et la légèreté des leurs.

La France particulièrement a perdu les meilleurs de ses fils dans le combat volontaire

de la Résistance. C'est une perte dont elle mesure tous les jours l'étendue. Chacun des hommes qui meurent aujourd'hui à Dachau ac-
croît encore sa faiblesse et son malheur. Nous
le savons trop ici pour ne pas être terriblement
avares de ces hommes et pour ne pas les défendre de toutes nos forces, sans égards pour
personne ni pour rien, jusqu'à ce qu'ils soient
libérés pour la deuxième fois.

PESSIMISME ET TYRANNIE

LE PESSIMISME ET LE COURAGE

(Combat, septembre 45.)

Depuis quelque temps déjà, on voit paraître des articles concernant des œuvres dont on suppose qu'elles sont pessimistes et dont on veut démontrer en conséquence qu'elles conduisent tout droit aux plus lâches servitudes. Le raisonnement est élémentaire. Une philosophie pessimiste est par essence une philosophie découragée et, pour ceux qui ne croient pas que le monde est bon, ils sont donc voués à accepter de servir la tyrannie. Le plus efficace de ces articles, parce que le meilleur, était celui de M. George Adam, dans les *Lettres Françaises*. M. Georges Rabeau, dans un des derniers numéros de l'*Aube* reprend cette accusation sous le titre inacceptable : « Nazisme pas mort ? »

Je ne vois qu'une façon de répondre à cette campagne qui est d'y répondre ouvertement. Bien que le problème me dépasse, bien qu'il vise Malraux, Sartre et quelques autres plus importants que moi, je ne verrais que de l'hypocrisie à ne pas parler en mon nom. Je n'insisterai pas cependant sur le fond du débat. L'idée qu'une pensée pessimiste est forcément découragée est une idée puérile, mais qui a besoin d'une trop longue réfutation. Je parlerai seulement de la méthode de pensée qui a inspiré ces articles.

Disons tout de suite que c'est une méthode qui ne veut pas tenir compte des faits. Les écrivains qui sont visés par ces articles ont prouvé, à leur place et comme ils l'ont pu, qu'à défaut de l'optimisme philosophique le devoir de l'homme, du moins, ne leur était pas étranger. Un esprit objectif accepterait donc de dire qu'une philosophie négative n'est pas incompatible, dans les faits, avec une morale de la liberté et du courage. Il y verrait seulement l'occasion d'apprendre quelque chose sur le cœur des hommes.

Cet esprit objectif aurait raison. Car cette coïncidence, dans quelques esprits, d'une philosophie de la négation et d'une morale positive figure, en fait, le grand problème qui secoue douloureusement toute l'époque. En bref, c'est un problème de civilisation et il s'agit de savoir pour nous si l'homme, sans le secours de l'éternel ou de la pensée rationaliste, peut créer à lui seul ses propres valeurs. Cette entreprise nous dépasse tous infiniment. Je le dis parce que je le crois, la France et l'Europe ont aujourd'hui à créer une nouvelle civilisation ou à périr.

Mais les civilisations ne se font pas à coups de règle sur les doigts. Elles se font par la confrontation des idées, par le sang de l'esprit, par la douleur et le courage. Il n'est pas possible que des thèmes qui sont ceux de l'Europe depuis cent ans soient jugés en un tournemain, dans l'*Aube,* par un éditorialiste qui attribue à Nietzsche, sans broncher, le goût de la luxure, et à Heidegger l'idée que l'existence est inutile. Je n'ai pas beaucoup de goût pour la trop célèbre philosophie existentielle, et, pour tout dire, j'en crois les conclusions fausses. Mais elle représente du moins une grande aventure de la pensée et il est difficilement supportable de la voir soumettre, comme le fait M. Rabeau, au jugement du conformisme le plus court.

C'est qu'en réalité ces thèmes et ces entreprises ne sont pas appréciés en ce moment d'après les règles de l'objectivité. Ils ne sont pas jugés dans les faits, mais d'après une doc-

trine. Nos camarades communistes et nos camarades chrétiens nous parlent du haut de
doctrines que nous respectons. Elles ne sont
pas les nôtres, mais nous n'avons jamais eu
l'idée d'en parler avec le ton qu'ils viennent
de prendre à notre égard et avec l'assurance
qu'ils y apportent. Qu'on nous laisse donc
poursuivre, pour notre faible part, cette expérience et notre pensée. M. Rabeau nous reproche d'avoir de l'audience. Je crois que c'est
beaucoup dire. Mais ce qu'il y a de vrai, c'est
que le malaise qui nous occupe est celui de
toute une époque dont nous ne voulons pas
nous séparer. Nous voulons penser et vivre
dans notre histoire. Nous croyons que la vérité de ce siècle ne peut s'atteindre qu'en al-
lant jusqu'au bout de son propre drame. Si
l'époque a souffert de nihilisme, ce n'est pas
en ignorant le nihilisme que nous obtiendrons
la morale dont nous avons besoin. Non, tout
ne se résume pas dans la négation ou l'absurdité. Nous le savons. Mais il faut d'abord poser la négation et l'absurdité puisque ce sont
elles que notre génération a rencontrées et
dont nous avons à nous arranger.

Les hommes qui sont mis en cause par ces
articles tentent loyalement par le double jeu
d'une œuvre et d'une vie de résoudre ce problème. Est-il si difficile de comprendre qu'on

ne peut régler en quelques lignes une question
que d'autres ne sont pas sûrs de résoudre en
s'y consacrant tout entiers ? Ne peut-on leur
accorder la patience qu'on accorde à toute
entreprise de bonne foi ? Ne peut-on enfin leur
parler avec plus de modestie ?

J'arrête ici cette protestation. J'espère y
avoir apporté de la mesure. Mais je voudrais
qu'on la sente indignée. La critique objective
est pour moi la meilleure des choses et j'admets sans peine qu'on dise qu'une œuvre est
mauvaise ou qu'une philosophie n'est pas
bonne pour le destin de l'homme. Il est juste
que les écrivains répondent de leurs écrits.
Cela leur donne à réfléchir et nous avons tous
un terrible besoin de réfléchir. Mais tirer de
ces principes des jugements sur la disposition
à la servitude de tel ou tel esprit, surtout
quand on a la preuve du contraire, en conclure que telle ou telle pensée doive forcément
conduire au nazisme, c'est fournir de l'homme
une image que je préfère ne pas qualifier et
c'est donner de bien médiocres preuves de
bienfaits moraux de la philosophie optimiste.

———

DÉFENSE DE L'INTELLIGENCE

(Allocution prononcée au cours de la réunion
organisée par l'Amitié française à la salle de
la Mutualité, le 15 mars 1945.)

Si l'amitié française, dont il est question,
ne devait être qu'un simple épanchement sentimental entre personnes sympathiques, je
n'en donnerais pas cher. Ce serait le plus
facile, mais ce serait le moins utile. Et je suppose que les hommes qui en ont pris l'initia-
tive, ont voulu autre chose, une amitié plus
difficile qui fût une construction. Pour que
nous ne soyons pas tentés de céder à la facilité et de nous contenter de congratulations
réciproques, je voudrais simplement, dans les
dix minutes qui me sont données, montrer
les difficultés de l'entreprise. De ce point de
vue, je ne saurais mieux le faire qu'en parlant de ce qui s'oppose toujours à l'amitié, je
veux dire le mensonge et la haine.

Nous ne ferons rien en effet pour l'amitié
française, si nous ne nous délivrons pas du
mensonge et de la haine. Dans un certain sens,
il est bien vrai que nous n'en sommes pas dé-
livrés. Nous sommes à leur école depuis trop
longtemps. Et c'est peut-être la dernière et la
plus durable victoire de l'hitlérisme que ces

marques honteuses laissées dans le cœur de
ceux-mêmes qui l'ont combattu de toutes leurs
forces. Comment en serait-il autrement? Depuis des années, ce monde est livré à un dé-
ferlement de haine qui n'a jamais eu son égal.
Pendant quatre ans, chez nous-mêmes, nous
avons assisté à l'exercice raisonné de cette
haine. Des hommes comme vous et moi, qui
le matin caressaient des enfants dans le métro, se transformaient le soir en bourreaux
méticuleux. Ils devenaient les fonctionnaires
de la haine et de la torture. Pendant quatre
ans, ces fonctionnaires ont fait marcher leur
administration : on y fabriquait des villages
d'orphelins, on y fusillait des hommes en
pleine figure pour qu'on ne les reconnaisse
pas, on y faisait entrer les cadavres d'enfants
à coups de talon dans des cercueils trop petits
pour eux, on y torturait le frère devant la
sœur, on y façonnait des lâches et on y dé-
truisait les plus fières des âmes. Il paraît que
ces histoires ne trouvent pas créance à l'étranger. Mais pendant quatre ans il a bien fallu
qu'elles trouvent créance dans notre chair et
notre angoisse. Pendant quatre ans, tous les
matins, chaque Français recevait sa ration de
haine et son soufflet. C'était le moment où il
ouvrait son journal. Forcément, il est resté
quelque chose de tout cela.

Il nous en est resté la haine. Il nous en est resté ce mouvement qui l'autre jour à Dijon, jetait un enfant de quatorze ans sur un collaborateur lynché, pour lui crever le visage. Il nous en est resté cette fureur qui nous brûle l'âme au souvenir de certaines images et de certains visages. A la haine des bourreaux, a répondu la haine des victimes. Et les bourreaux partis, les Français sont restés avec leur haine en partie inemployée. Ils se regardent encore avec un reste de colère.

Eh bien, c'est de cela que nous devons triompher d'abord. Il faut guérir ces cœurs empoisonnés. Et demain, la plus difficile victoire que nous ayons à remporter sur l'ennemi, c'est en nous-mêmes qu'elle doit se livrer, avec cet effort supérieur qui transformera notre appétit de haine en désir de justice. Ne pas céder à la haine, ne rien concéder à la violence, ne pas admettre que nos passions deviennent aveugles, voilà ce que nous pouvons faire encore pour l'amitié et contre l'hitlérisme. Aujourd'hui encore, dans quelques journaux, on se laisse aller à la violence et à l'insulte. Mais alors, c'est à l'ennemi qu'on cède encore. Il s'agit au contraire et pour nous de ne jamais laisser la critique rejoindre l'insulte, il s'agit d'admettre que notre contradicteur puisse avoir raison et qu'en tout cas

ses raisons, même mauvaises, puissent être
désintéressées. Il s'agit enfin de refaire notre
mentalité politique.

Qu'est-ce que cela signifie, si nous y réflé-
chissons ? Cela signifie que nous devons préserver l'intelligence. Car je suis persuadé que
là est le problème. Il y a quelques années,
alors que les nazis venaient de prendre le pouvoir, Gœring donnait une juste idée de leur
philosophie en déclarant : « Quand on me
parle d'intelligence, je sors mon revolver. »
Et cette philosophie débordait l'Allemagne.
Dans le même temps et par toute l'Europe
civilisée, les excès de l'intelligence et les tares
de l'intellectuel étaient dénoncés. Les intellectuels mêmes, par une intéressante réaction,
n'étaient pas les derniers à mener ce procès.
Partout, les philosophies de l'instinct triom-
phaient et, avec elles, ce romantisme de mauvais aloi qui préfère sentir à comprendre,
comme si les deux pouvaient se séparer. Depuis, l'intelligence n'a pas cessé d'être mise
en cause. La guerre est venue, puis la défaite.
Vichy nous a appris que la grande responsable
était l'intelligence. Les paysans avaient trop
lu Proust. Et tout le monde sait que *Paris-
Soir*, Fernandel et les banquets des amicales
étaient des signes d'intelligence. La médiocrité des élites dont la France se mourait, il

paraît qu'elle avait sa source dans les livres.

Maintenant encore l'intelligence est mal-traitée. Cela prouve seulement que l'ennemi n'est pas encore vaincu. Et il suffit qu'on fasse l'effort de comprendre sans idée préconçue, il suffit qu'on parle d'objectivité pour qu'on dé-nonce votre subtilité et pour qu'on fasse le procès de toutes vos prétentions. Eh bien non ! Et c'est cela qu'il faut réformer. Car je con-nais comme tout le monde les excès de l'in-telligence et je sais comme tout le monde que l'intellectuel est un animal dangereux qui a la trahison facile. Mais il s'agit d'une intelli-gence qui n'est pas la bonne. Nous parlons, nous, de celle qui s'appuie sur le courage, de celle qui pendant quatre ans a payé le prix qu'il fallait pour avoir le droit d'être respec-tée. Quand il arrive que cette intelligence s'éteigne, c'est la nuit des dictatures. C'est pourquoi nous avons à la maintenir dans tous ses devoirs et tous ses droits. C'est à ce prix, à ce seul prix, que l'amitié française aura un sens. Car l'amitié est la science des hommes libres. Et il n'y a pas de liberté sans intelli-gence et sans compréhension réciproques.

Pour finir, c'est à vous, étudiants, que je m'adresserai ici. Je ne suis pas de ceux qui vous prêcheront la vertu. Trop de Français la confondent avec la pauvreté du sang. Si j'y

avais quelque droit, je vous prêcherais plutôt les passions. Mais je voudrais que sur un
ou deux points, ceux qui feront l'intelligence
française de demain soient au moins résolus
à ne céder jamais. Je voudrais qu'ils ne cèdent
pas quand on leur dira que l'intelligence est
toujours de trop, quand on voudra leur prouver qu'il est permis de mentir pour mieux
réussir. Je voudrais qu'ils ne cèdent ni à la
ruse, ni à la violence, ni à la veulerie. Alors,
peut-être une amitié française sera possible
qui sera autre chose qu'un vain bavardage.
Alors peut-être, dans une nation libre et pas-
sionnée de vérité, l'homme recommencera à
prendre ce goût de l'homme sans quoi le
monde ne sera jamais qu'une immense solitude.

DEUX ANS APRÈS

DÉMOCRATIE ET MODESTIE

(*Combat,* février 47.)

Voici la rentrée. On va reprendre les trac-
tations, les marchandages et les chicanes. Les
mêmes problèmes qui nous excèdent depuis
deux ans seront conduits dans les mêmes im-
passes. Et chaque fois qu'une voix libre s'es-
sayera à dire, sans prétention, ce qu'elle en
pense, une armée de chiens de garde de tout
poil et de toute couleur, aboiera furieusement
pour couvrir son écho.

Rien de tout cela n'est réjouissant, bien entendu. Heureusement, quand on ne conserve
que des espérances raisonnables, on se sent
le cœur solide. Les Français qui ont vécu plei-
nement les dix dernières années y ont appris
du moins à ne plus avoir peur pour eux-
mêmes, mais seulement pour les autres. Ils

ont réglé leur compte avec le pire. Désormais, ils sont tranquilles et fermes. Répétons donc tranquillement et fermement, avec cette inaltérable naïveté qu'on veut bien nous reconnaître, les principes élémentaires qui nous paraissent seuls propres à rendre acceptable la vie politique.

Il n'y a peut-être pas de bon régime politique, mais la démocratie en est assurément le moins mauvais. La démocratie ne se sépare pas de la notion de parti, mais la notion de parti peut très bien aller sans la démocratie. Cela arrive quand un parti ou un groupe d'hommes s'imagine détenir la vérité absolue. C'est pourquoi l'Assemblée et les députés ont besoin aujourd'hui d'une cure de modestie.

Toutes les raisons de cette modestie sont aussi bien réunies dans le monde d'aujourd'hui. Comment oublier que l'Assemblée Nationale, ni aucun gouvernement, n'ont les moyens de résoudre les problèmes qui nous assaillent ? La preuve en est qu'aucun de ces problèmes n'a été abordé par les députés sans que la querelle internationale y fût mise en évidence. Manquons-nous de charbon ? C'est que les Anglais nous refusent celui de la Ruhr et les Russes celui de la Sarre. Le pain fait-il défaut ? M. Blum et M. Thorez se renvoient à

la face les tonnes et les quintaux de blé que
Moscou et Washington auraient dû nous fournir. On ne saurait mieux prouver que le rôle
de l'Assemblée et du Gouvernement ne peut
être, pour le moment, qu'un rôle d'administration et que la France, enfin, est dans la
dépendance.

La seule chose à faire serait de le reconnaître, d'en tirer les conséquences qui conviennent et d'essayer, par exemple, de définir
en commun l'ordre international sans lequel
aucun problème intérieur ne sera jamais réglé
dans aucun pays. Autrement dit, il faudrait
s'oublier un peu. Cela donnerait aux députés
et aux partis un peu de cette modestie qui fait
les bonnes et les vraies démocraties. Le démocrate, après tout, est celui qui admet qu'un
adversaire peut avoir raison, qui le laisse donc
s'exprimer et qui accepte de réfléchir à ses
arguments. Quand des partis ou des hommes
se trouvent assez persuadés de leurs raisons
pour accepter de fermer la bouche de leurs
contradicteurs par la violence, alors la démocratie n'est plus. Quelle que soit l'occasion de
la modestie, celle-ci est donc salutaire aux ré-
publiques. La France, aujourd'hui, n'a plus
les moyens de la puissance. Laissons à d'autres le soin de dire si cela est bien ou mal.
Mais c'est une occasion. En attendant de re-

trouver cette puissance ou d'y renoncer, il reste encore à notre pays la possibilité d'être un exemple. Simplement, il ne pourrait l'être aux yeux du monde que s'il proclamait des vérités qu'il peut découvrir à l'intérieur de ses frontières, c'est-à-dire s'il affirmait, par l'exercice de son gouvernement, que la démocratie intérieure sera approximative tant que l'ordre démocratique international ne sera pas réalisé, et s'il posait en principe, enfin, que cet ordre, pour être démocratique, doit renoncer aux déchirements de la violence.

Ce sont là, on l'a déjà compris, des considérations volontairement inactuelles.

———

LA CONTAGION

(*Combat*, 10 mai 1947.)

Il n'est pas douteux que la France soit un pays beaucoup moins raciste que tous ceux qu'il m'a été donné de voir. C'est pour cela qu'il est impossible d'accepter sans révolte les signes qui apparaissent, çà et là, de cette maladie stupide et criminelle.

Un journal du matin titre sur plusieurs colonnes, en première page : « L'assassin Ra-

sefa. » C'est un signe. Car il est bien évident
que l'affaire Raseta est aujourd'hui à l'instruction et qu'il est impossible de donner une
telle publicité à une si grave accusation, avant
que cette instruction soit achevée.

Je dis tout de suite que je n'ai comme informations non suspectes sur l'affaire mal-
gache, que des récits d'atrocités commises par
les insurgés et des rapports sur certains aspects
de la répression. En fait de conviction, je ne
ressens donc qu'une égale répugnance envers
les deux méthodes. Mais la question est de
savoir si M. Raseta est un assassin ou non. Il
est sûr qu'un honnête homme n'en décidera
qu'une fois l'instruction terminée. En tout
état de cause, aucun journaliste n'aurait osé
un pareil titre si l'assassin supposé s'appelait
Dupont ou Durand. Mais M. Raseta est mal-
gache, et il doit être assassin de quelque façon.
Un tel titre ne tire donc pas à conséquence.

Ce n'est pas le seul signe. On trouve normal
que le malheureux étudiant qui a tué sa fian-
cée utilise, pour détourner les soupçons, la
présence de « sidis », comme ils disent, dans
la forêt de Sénart. Si des Arabes se promènent
dans une forêt, le printemps n'a rien à y voir.
Ce ne peut être que pour assassiner leurs
contemporains.

De même, on est toujours sûr de tomber, au

hasard des journées, sur un Français, souvent intelligent par ailleurs, et qui vous dit que les Juifs exagèrent vraiment. Naturellement, ce Français a un ami juif qui, lui, du moins... Quant aux millions de Juifs qui ont été torturés et brûlés, l'interlocuteur n'approuve pas ces façons, loin de là. Simplement, il trouve que les Juifs exagèrent et qu'ils ont tort de se soutenir les uns les autres, même si cette solidarité leur a été enseignée par le camp de concentration.

Oui, ce sont là des signes. Mais il y a pire. On a utilisé en Algérie, il y a un an, les méthodes de la répression collective. *Combat* a révélé l'existence de la chambre d'aveux « spontanés » de Fianarantsoa. Et ici non plus, je n'aborderai pas le fond du problème, qui est d'un autre ordre. Mais il faut parler de la manière, qui donne à réfléchir.

Trois ans après avoir éprouvé les effets d'une politique de terreur, des Français enregistrent ces nouvelles avec l'indifférence des gens qui en ont trop vu. Pourtant, le fait est là, clair et hideux comme la vérité : nous faisons, dans ces cas-là, ce que nous avons reproché aux Allemands de faire. Je sais bien qu'on nous en a donné l'explication. C'est que les rebelles malgaches, eux aussi, ont torturé des Français. Mais la lâcheté et le crime de l'adversaire n'excusent pas qu'on devienne lâche et criminel. Je n'ai pas entendu dire que nous ayons construit des fours crématoires pour nous venger des nazis. Jusqu'à preuve du contraire nous leur avons opposé des tribunaux. La preuve du droit, c'est la justice claire et ferme. Et c'est la justice qui devrait représenter la France.

En vérité, l'explication est ailleurs. Si les hitlériens ont appliqué à l'Europe les lois abjectes qui étaient les leurs, c'est qu'ils considéraient que leur race était supérieure et que la loi ne pouvait être la même pour les Allemands et pour les peuples esclaves. Si nous, Français, nous révoltions contre cette terreur, c'est que nous estimions que tous les Européens étaient égaux en droit et en dignité. Mais si, aujourd'hui, des Français apprennent sans révolte les méthodes que d'autres Français utilisent parfois envers des Algériens ou des Malgaches, c'est qu'ils vivent, de manière inconsciente, sur la certitude que nous sommes supérieurs en quelque manière à ces peuples et que le choix des moyens propres à illustrer cette supériorité importe peu.

Encore une fois, il ne s'agit pas de régler ici le problème colonial, ni de rien excuser. Il s'agit de détecter les signes d'un racisme qui déshonore tant de pays déjà et dont il fau-

drait au moins préserver le nôtre. Là était et
devrait être notre vraie supériorité, et quelques-uns d'entre nous tremblent que nous la
perdions. S'il est vrai que le problème colonial est le plus complexe de ceux qui se posent à nous, s'il est vrai qu'il commande
l'histoire des cinquante années à venir, il est
non moins vrai que nous ne pourrons jamais
le résoudre si nous y introduisons les plus fu-
nestes préjugés.

Et il ne s'agit pas ici de plaider pour un
sentimentalisme ridicule qui mêlerait toutes
les races dans la même confusion attendrie.
Les hommes ne se ressemblent pas, il est vrai,
et je sais bien quelle profondeur de traditions
me sépare d'un Africain ou d'un musulman.
Mais je sais bien aussi ce qui m'unit à eux et
qu'il est quelque chose en chacun d'eux que
je ne puis mépriser sans me ravaler moi-
même. C'est pourquoi il est nécessaire de dire
clairement que ces signes, spectaculaires ou
non, de racisme révèlent ce qu'il y a de plus
abject et de plus insensé dans le cœur des
hommes. Et c'est seulement lorsque nous en
aurons triomphé que nous garderons le droit
difficile de dénoncer, partout où il se trouve,
l'esprit de tyrannie ou de violence.

———

ANNIVERSAIRE

(Combat, 7 mai 1947.)

Le 8 mai 1945, l'Allemagne signait la plus grande capitulation de l'Histoire. Le général Jodl déclarait alors : « Je considère que l'acte de reddition remet l'Allemagne et le peuple allemand aux mains des vainqueurs. » Dix-huit mois après, Jodl était pendu à Nuremberg. Mais on n'a pu pendre 70 millions d'habitants, l'Allemagne est toujours entre les mains des vainqueurs, et, pour finir, ce jour anniversaire n'est pas celui de la réjouissance. La victoire aussi a ses servitudes.

C'est que l'Allemagne n'a pas cessé d'être en accusation, et cela rend difficile, à un Français surtout, de dire ou de faire des choses raisonnables à ce sujet. Il y a deux ans, la radio de Flensburg diffusait, sur l'ordre de Dœnitz, un appel où les dirigeants provisoires du Reich abattu disaient leur espoir que « l'atmosphère de haine qui entourait l'Allemagne sur toute la terre serait peu à peu remplacée par l'esprit de conciliation entre nations sans lequel le monde ne peut pas se relever ». Cette

lucidité venait cinq ans trop tard et l'espoir
de Dœnitz ne s'est réalisé qu'à moitié. La
haine de l'Allemagne a été remplacée par
un bizarre sentiment où la méfiance et une
vague rancune se mêlent à une indifférence
lassée. Quant à l'esprit de conciliation...

Le silence de trois minutes qui a suivi l'annonce de la capitulation allemande se prolonge
donc, interminablement, dans le mutisme où
l'Allemagne occupée poursuit son existence
hagarde, au milieu d'un monde qui ne lui
oppose qu'une distraction un peu méprisante.
Cela tient sans doute à ce que le nazisme,
comme tous les régimes de proie, pouvait tout
attendre du monde, sauf l'oubli. C'est lui qui
nous mit à l'apprentissage de la haine. Et
peut-être cette haine aurait-elle pu s'oublier,
puisque la mémoire des hommes s'envole à
la vitesse même où marche l'Histoire. Mais le
calcul, la précision méticuleuse et glacée que
le régime hitlérien y apportait sont restés dans
tous les cœurs. Les fonctionnaires de la haine
s'oublient moins vite que ses possédés. C'est
un avertissement valable pour tous.

Il y a donc des choses que les hommes de
mon âge ne peuvent plus oublier. Mais aucun
d'entre nous, je crois, n'accepterait en ce jour
anniversaire de piétiner un vaincu. La justice
absolue est impossible, comme sont impossi-

bles la haine ou l'amour éternels. C'est pourquoi il faut en revenir à la raison. Le temps
de l'Apocalypse n'est plus. Nous sommes entrés dans celui de la médiocre organisation et
des accommodements sans grandeur. Par sagesse et par goût pour le bonheur, il faut préférer celui-ci, bien qu'on sache qu'à force de
médiocrité, on revienne aux apocalypses. Mais
ce répit permet la réflexion et cette réflexion,
au lieu de nous pousser aujourd'hui à réveiller des haines qui somnolent, devrait nous
conduire au contraire à mettre les choses et
l'Allemagne à leur vraie place.

Quels que soient notre passion intérieure
et le souvenir de nos révoltes, nous savons
bien que la paix du monde a besoin d'une
Allemagne pacifiée, et qu'on ne pacifie pas
un pays en l'exilant à jamais de l'ordre international. Si le dialogue avec l'Allemagne est
encore possible, c'est la raison même qui demande qu'on le reprenne. Mais il faut dire, et
avec la même force, que le problème allemand
est un problème secondaire, bien qu'on veuille
parfois en faire le premier de tous, pour détourner notre attention de ce qui crève les
yeux. Ce qui crève les yeux, c'est qu'avant
d'être une menace, l'Allemagne est devenue
un enjeu entre la Russie et l'Amérique. Et
les seuls problèmes urgents de notre siècle

sont ceux qui concernent l'accord ou l'hostilité de ces deux puissances. Si cet accord est
trouvé, l'Allemagne, et quelques autres pays
avec elle, connaîtront un destin raisonnable.
Dans le cas contraire, l'Allemagne sera plon-
gée dans une immense défaite générale. C'est
dire en même temps qu'en toute occasion la
France doit préférer l'effort de raison à la politique de puissance. Il faut choisir aujour-
d'hui de faire des choses probablement inef-
ficaces ou certainement criminelles. Il me
semble que le choix n'est pas difficile.

Aussi bien, cet effort est une preuve de confiance en soi. C'est la preuve qu'on se sent
assez ferme pour continuer, quoi qu'il arrive,
à combattre et plaider pour la justice et la
liberté. Le monde d'aujourd'hui n'est pas
celui de l'espérance. Nous reviendrons peut-
être à l'Apocalypse. Mais la capitulation de
l'Allemagne, cette victoire contre toute raison
et contre tout espoir, illustreront pour longtemps cette impuissance de la force dont Na-
poléon parlait avec mélancolie : « A la longue,
Fontanes, l'esprit finit toujours par vaincre
l'épée. » A la longue, oui... Mais après tout,
une bonne règle de conduite est de penser que
l'esprit libre a toujours raison et finit toujours par triompher, puisque le jour où il
cessera d'avoir raison sera celui où l'huma-

nité tout entière aura tort et où l'histoire des
hommes aura perdu son sens.

———

RIEN N'EXCUSE CELA

(Combat, 22 mars 1947.)

On a pu lire, dans notre numéro d'hier, la
lettre courageuse que le R. P. Riquet, résistant et déporté, a écrite à M. Ramadier.
J'ignore ce que les chrétiens peuvent penser à
ce propos. Mais, pour ma part, je n'aurais
pas la conscience tranquille à laisser cette lettre sans écho. Et il me semble, au contraire,
qu'un incroyant doit se sentir obligé, plus
que tout autre, à dire son indignation devant
l'inqualifiable attitude, dans cette affaire,
d'une partie de notre presse.

Je n'ai pas envie de justifier qui que ce soit.
S'il est vrai que des religieux ont conspiré
contre l'Etat, ils relèvent, en effet, des lois
que ce pays s'est données. Mais, à ma connaissance, et jusqu'à présent, la France n'a
pas imaginé que la responsabilité pût devenir
collective. Avant de dénoncer les couvents
comme des nids d'assassins et de traîtres,

l'Eglise tout entière comme le centre d'un vaste et obscur complot, on aurait voulu que les journalistes et les hommes de parti fissent seulement l'effort de se souvenir.

Peut-être auraient-ils retrouvé alors les images d'un temps où certains couvents couvraient, de leur silence, un complot bien différent. Peut-être auraient-ils consenti à mettre en face des tièdes et des défaillants l'exemple de quelques héros qui surent quitter sans discours leurs communautés pacifiques pour les communautés torturées des camps de destruction. Nous qui fûmes les premiers à dénoncer les complaisances de quelques dignitaires religieux, nous avons le droit d'écrire ceci à l'heure où d'autres journalistes oublient assez les devoirs et la dignité de leur profession pour se transformer en insulteurs.

Quelle que soit la responsabilité d'un gouvernement qui n'a visiblement révélé que ce qu'il lui convenait de dire et qui a choisi de le faire au moment le plus heureux pour lui, celle des journalistes est encore plus haute. Car ils ont nié ce qu'ils savaient, ils se sont détournés de ce qui reste notre seule justification et qui fut la communauté de nos souffrances pendant quatre ans. Pour des journaux qui ont eu l'honneur de la clandestinité, c'est un oubli impardonnable, un manquement à la

mémoire la plus noble et un défi à la justice.
Lorsque *Franc-Tireur*, répondant au Père
Riquet, sans reproduire sa lettre, s'écrie : « Qui
demeure fidèle à l'esprit de la Résistance ?
Ceux qui essaient de soustraire à la justice les
bourreaux des prêtres déportés ou ceux qui
veulent les châtier ? », il oublie que s'il est
une justice qui doit s'appliquer à l'ennemi,
il en est une autre, supérieure devant l'esprit,
et que l'on doit à ses frères d'armes. La justice
la plus stricte demandait à cet égard que l'on
fît l'effort de ne point mêler dans la confusion
d'une accusation générale, une poignée de
prévenus à l'immense cohorte des innocents,
oubliant de gaîté de cœur tous ceux qui se
firent égorger. Non, décidément, rien n'excuse cela.

Mais à quoi bon, en vérité ? L'esprit de calcul rend sourd, nous parlons dans le désert.
Qui se soucie aujourd'hui de la Résistance et
de son honneur ? Après ces deux ans où tant
d'espoirs furent saccagés, on se sent le cœur
lourd à reprendre le même langage. Il le faut
bien pourtant. On ne parle que de ce qu'on
connaît, on a honte pour ceux qu'on aime et
pour ceux-là seulement. J'entends d'ici les
railleries. Eh quoi ! « Combat » est aujour-
d'hui avec l'Eglise. Cela, du moins, est sans
importance. Les incroyants que nous sommes

n'ont de haine que pour la haine, et tant qu'il
y aura un souffle de liberté dans ce pays, ils
continueront à refuser de rejoindre ceux qui
hurlent et injurient, pour demeurer seulement avec ceux, quels qu'ils soient, qui témoignent.

NI VICTIMES NI BOURREAUX

LE SIÈCLE DE LA PEUR

(*Combat*, novembre 1948.)

Le xvii⁰ siècle a été le siècle des mathématiques, le xviii⁰ celui des sciences physiques, et le xix⁰ celui de la biologie. Notre xx⁰ siècle est le siècle de la peur. On me dira que ce n'est pas là une science. Mais d'abord la science y est pour quelque chose, puisque ses derniers progrès théoriques l'ont amenée à se nier elle-même et puisque ses perfectionnements pratiques menacent la terre entière de destruction. De plus, si la peur en elle-même ne peut-être considérée comme une science, il n'y a pas de doute qu'elle soit cependant une technique.

Ce qui frappe le plus, en effet, dans le monde où nous vivons, c'est d'abord, et en

général, que la plupart des hommes (sauf les
croyants de toutes espèces) sont privés d'avenir. Il n'y a pas de vie valable sans projection
sur l'avenir, sans promesse de mûrissement
et de progrès. Vivre contre un mur, c'est la
vie des chiens. Eh bien ! les hommes de ma
génération et de celle qui entre aujourd'hui
dans les ateliers et les facultés ont vécu et vivent de plus en plus comme des chiens.

Naturellement, ce n'est pas la première fois
que des hommes se trouvent devant un avenir
matériellement bouché. Mais ils en triom-
phaient ordinairement par la parole et par le
cri. Ils en appelaient à d'autres valeurs, qui
faisaient leur espérance. Aujourd'hui, personne ne parle plus (sauf ceux qui se répè-
tent), parce que le monde nous paraît mené
par des forces aveugles et sourdes qui n'en-
tendront pas les cris d'avertissements, ni les
conseils, ni les supplications. Quelque chose
en nous a été détruit par le spectacle des années que nous venons de passer. Et ce quelque
chose est cette éternelle confiance de l'homme,
qui lui a toujours fait croire qu'on pouvait
tirer d'un autre homme des réactions humaines en lui parlant le langage de l'humanité.
Nous avons vu mentir, avilir, tuer, déporter,
torturer, et à chaque fois il n'était pas possible de persuader ceux qui le faisaient de ne

pas le faire, parce qu'ils étaient sûrs d'eux et
parce qu'on ne persuade pas une abstraction,
c'est-à-dire le représentant d'une idéologie.

Le long dialogue des hommes vient de s'ar-
rêter. Et, bien entendu, un homme qu'on ne
peut pas persuader est un homme qui fait
peur. C'est ainsi qu'à côté des gens qui ne
parlaient pas parce qu'ils le jugeaient inutile
s'étalait et s'étale toujours une immense cons-
piration du silence, acceptée par ceux qui
tremblent et qui se donnent de bonnes raisons
pour se cacher à eux-mêmes ce tremblement,
et suscitée par ceux qui ont intérêt à le faire.
« Vous ne devez pas parler de l'épuration des
artistes en Russie, parce que cela profiterait
à la réaction. » « Vous devez vous taire sur le
maintien de Franco par les Anglo-Saxons,
parce que cela profiterait au communisme. »
Je disais bien que la peur est une technique.

Entre la peur très générale d'une guerre que
tout le monde prépare et la peur toute parti-
culière des idéologies meurtrières, il est donc
bien vrai que nous vivons dans la terreur.
Nous vivons dans la terreur parce que la persuasion n'est plus possible, parce que l'homme
a été livré tout entier à l'histoire et qu'il ne
peut plus se tourner vers cette part de lui-
même, aussi vraie que la part historique, et
qu'il retrouve devant la beauté du monde et

des visages ; parce que nous vivons dans le
monde de l'abstraction, celui des bureaux et
des machines, des idées absolues et du messianisme sans nuances. Nous étouffons parmi les
gens qui croient avoir absolument raison, que
ce soit dans leurs machines ou dans leurs
idées. Et pour tous ceux qui ne peuvent vivre
que dans le dialogue et dans l'amitié des hommes, ce silence est la fin du monde.

Pour sortir de cette terreur, il faudrait pouvoir réfléchir et agir suivant sa réflexion. Mais
la terreur, justement, n'est pas un climat fa-
vorable à la réflexion. Je suis d'avis, cependant, au lieu de blâmer cette peur, de la
considérer comme un des premiers éléments
de la situation et d'essayer d'y remédier. Il
n'est rien de plus important. Car cela concerne le sort d'un grand nombre d'Européens
qui, rassasiés de violences et de mensonges,
déçus dans leurs plus grands espoirs, répugnant à l'idée de tuer leurs semblables, fût-ce
pour les convaincre, répugnent également à
l'idée d'être convaincus de la même manière.
Pourtant, c'est l'alternative où l'on place cette
grande masse d'hommes en Europe, qui ne
sont d'aucun parti, ou qui sont mal à l'aise
dans celui qu'ils ont choisi, qui doutent que
le socialisme soit réalisé en Russie, et le libéralisme en Amérique, qui reconnaissent, ce-

pendant, à ceux-ci et à ceux-là le droit d'affirmer leur vérité, mais qui leur refusent celui
de l'imposer par le meurtre, individuel ou
collectif. Parmi les puissants du jour, ce sont
des hommes sans royaume. Ces hommes ne
pourront faire admettre (je ne dis pas triompher mais admettre) leur point de vue, et ne
pourront retrouver leur patrie que lorsqu'ils
auront pris conscience de ce qu'ils veulent et
qu'ils le diront assez simplement et assez for-
tement pour que leurs paroles puissent lier un
faisceau d'énergies. Et si la peur n'est pas le
climat de la juste réflexion, il leur faut donc
d'abord se mettre en règle avec la peur.

Pour se mettre en règle avec elle, il faut voir
ce qu'elle signifie et ce qu'elle refuse. Elle
signifie et elle refuse le même fait : un monde
où le meurtre est légitimé et où la vie humaine
est considérée comme futile. Voilà le premier
problème politique d'aujourd'hui. Et avant
d'en venir au reste, il faut prendre position
par rapport à lui. Préalablement à toute construction, il faut aujourd'hui poser deux questions : « Oui ou non, directement ou indirectement, voulez-vous être tué ou violenté ? Oui
ou non, directement ou indirectement, voulez-vous tuer ou violenter ? » Tous ceux qui
répondront non à ces deux questions sont
automatiquement embarqués dans une série

de conséquences qui doivent modifier leur
façon de poser le problème. Mon projet est de
préciser deux ou trois seulement de ces conséquences. En attendant, le lecteur de bonne
volonté peut s'interroger et répondre.

—

SAUVER LES CORPS

Ayant dit un jour que je ne saurais plus
admettre, après l'expérience de ces deux dernières années, aucune vérité qui pût me mettre dans l'obligation, directe ou indirecte, de
faire condamner un homme à mort, des esprits que j'estimais quelquefois m'ont fait
remarquer que j'étais dans l'utopie, qu'il n'y
avait pas de vérité politique qui ne nous ame-
nât un jour à cette extrémité, et qu'il fallait
donc courir le risque de cette extrémité ou
accepter le monde tel qu'il était.

Cet argument était présenté avec force. Mais
je crois d'abord qu'on n'y mettait tant de
force que parce les gens qui le présentaient n'avaient pas d'imagination pour la
mort des autres. C'est un travers de notre siècle. De même qu'on s'y aime par téléphone

et qu'on travaille non plus sur la matière,
mais sur la machine, on y tue et on y est tué
aujourd'hui par procuration. La propreté y
gagne, mais la connaissance y perd.

Cependant cet argument a une autre force,
quoique indirecte : il pose le problème de
l'utopie. En somme, les gens comme moi voudraient un monde, non pas où l'on ne se tue
plus (nous ne sommes pas si fous !), mais où
le meurtre ne soit pas légitimé. Nous sommes
ici dans l'utopie et la contradiction en effet.
Car nous vivons justement, dans un monde
où le meurtre est légitimé, et nous devons le
changer si nous n'en voulons pas. Mais il
semble qu'on ne puisse le changer sans courir
la chance du meurtre. Le meurtre nous ren-
voie donc au meurtre et nous continuerons de
vivre dans la terreur, soit que nous l'accep-
tions avec résignation, soit que nous voulions
la supprimer par des moyens qui lui substi-
tueront une autre terreur.

A mon avis, tout le monde devrait réfléchir
à cela. Car ce qui me frappe au milieu des
polémiques, des menaces et des éclats de la
violence, c'est la bonne volonté de tous. Tous,
à quelques tricheurs près, de la droite à la
gauche, estiment que leur vérité est propre à
faire le bonheur des hommes. Et pourtant, la
conjonction de ces bonnes volontés aboutit à

ce monde infernal où des hommes sont encore tués, menacés, déportés, où la guerre se prépare, et où il est impossible de dire un mot sans être à l'instant insulté ou trahi. Il faut donc en conclure qui si des gens comme nous vivent dans la contradiction, ils ne sont pas les seuls, et que ceux qui les accusent d'utopie vivent peut-être dans une utopie différente sans doute, mais plus coûteuse à la fin.

Il faut donc admettre que le refus de légitimer le meurtre nous force à reconsidérer notre notion de l'utopie. A cet égard, il semble qu'on puisse dire ceci : l'utopie est ce qui est en contradiction avec la réalité. De ce point de vue, il serait tout à fait utopique de vouloir que personne ne tue plus personne. C'est l'utopie absolue. Mais c'est une utopie à un degré beaucoup plus faible que de demander que le meurtre ne soit plus légitimé. Par ailleurs, les idéologies marxiste et capitaliste, basées toutes deux sur l'idée de progrès, persuadées toutes deux que l'application de leurs principes doit amener fatalement l'équilibre de la société, sont des utopies d'un degré beaucoup plus fort. En outre, elles sont en train de nous coûter très cher.

On peut en conclure que, pratiquement, le combat qui s'engagera dans les années qui viennent ne s'établira pas entre les forces de

l'utopie et celles de la réalité, mais entre des
utopies différentes qui cherchent à s'insérer
dans le réel et entre lesquelles il ne s'agit plus
que de choisir les moins coûteuses. Ma conviction est que nous ne pouvons plus avoir
raisonnablement l'espoir de tout sauver, mais
que nous pouvons nous proposer au moins
de sauver les corps, pour que l'avenir demeure possible.

On voit donc que le fait de refuser la légitimation du meurtre n'est pas plus utopique
que les attitudes réalistes d'aujourd'hui. Toute
la question est de savoir si ces dernières coûtent plus ou moins cher. C'est un problème
que nous devons régler aussi, et je suis donc
excusable de penser qu'on peut être utile en
définissant, par rapport à l'utopie, les conditions qui sont nécessaires pour pacifier les
esprits et les nations. Cette réflexion, à condition qu'elle se fasse sans peur comme sans
prétention, peut aider à créer les conditions
d'une pensée juste et d'un accord provisoire
entre les hommes qui ne veulent être ni des
victimes ni des bourreaux. Bien entendu, il
ne s'agit pas, dans les articles qui suivront,
de définir une position absolue, mais seulement de redresser quelques notions aujour-
d'hui travesties et d'essayer de poser le
problème de l'utopie aussi correctement que

possible. Il s'agit, en somme, de définir les
conditions d'une pensée politique modeste,
c'est-à-dire délivrée de tout messianisme, et
débarrassée de la nostalgie du paradis ter-
testre.

———

LE SOCIALISME MYSTIFIÉ

Si l'on admet que l'état de terreur, avoué
ou non, où nous vivons depuis dix ans, n'a
pas encore cessé, et qu'il fait aujourd'hui la
plus grande partie du malaise où se trouvent
les esprits et les nations, il faut voir ce qu'on
peut opposer à la terreur. Cela pose le problème du socialisme occidental. Car la terreur
ne se légitime que si l'on admet le principe :
« La fin justifie les moyens. » Et ce principe
ne peut s'admettre que si l'efficacité d'une
action est posée en but absolu, comme c'est le
cas dans les idéologies nihilistes (tout est permis, ce qui compte c'est de réussir), ou dans
les philosophies qui font de l'histoire un absolu (Hegel, puis Marx : le but étant la société
sans classe, tout est bon qui y conduit).

C'est là le problème qui s'est posé aux socialistes français, par exemple. Des scrupules

leur sont venus. La violence et l'oppression
dont ils n'avaient eu jusqu'ici qu'une idée
assez abstraite, ils les ont vues à l'œuvre. Et
ils se sont demandé s'ils accepteraient, comme
le voulait leur philosophie, d'exercer eux-
mêmes la violence, même provisoirement et
pour un but pourtant différent. Un récent pré-
facier de Saint-Just, parlant d'hommes qui
avaient des scrupules semblables, écrivait avec
tout l'accent du mépris : « Ils ont reculé devant l'horreur. » Rien n'est plus vrai. Et ils
ont par là mérité d'encourir le dédain d'âmes
assez fortes et supérieures pour s'installer sans
broncher dans l'horreur. Mais en même
temps, ils ont donné une voix à cet appel an-
goissé venu des médiocres que nous sommes,
qui se comptent par millions, qui font la matière même de l'histoire, et dont il faudra un
jour tenir compte, malgré tous les dédains.

Ce qui nous paraît plus sérieux, au contraire, c'est d'essayer de comprendre la contradiction et la confusion où se sont trouvés
nos socialistes. De ce point de vue, il est évident qu'on n'a pas réfléchi suffisamment à la
crise de conscience du socialisme français telle
qu'elle s'est exprimée dans un récent congrès.
Il est bien évident que nos socialistes, sous
l'influence de Léon Blum, et plus encore sous
la menace des événements, ont mis au premier

rang de leurs préoccupations des problèmes
moraux (la fin ne justifie pas tous les moyens)
qu'ils n'avaient pas soulignés jusqu'ici. Leur
désir légitime était de se référer à quelques
principes qui fussent supérieurs au meurtre.
Il n'est pas moins évident que ces mêmes socialistes veulent conserver la doctrine marxiste ;
les uns parce qu'ils pensent qu'on ne peut
être révolutionnaire sans être marxiste ; les
autres, par une fidélité respectable à l'histoire
du parti qui les persuade qu'on ne peut, non
plus, être socialiste sans être marxiste. Le dernier congrès du parti a mis en valeur ces deux
tendances et la tâche principale de ce congrès
a été d'en faire la conciliation. Mais on ne
peut concilier ce qui est inconciliable.

Car il est clair que si le marxisme est vrai,
et s'il y a une logique de l'histoire, le réalisme politique est légitime. Il est clair également que si les valeurs morales préconisées
par le parti socialiste sont fondées en droit,
alors le marxisme est faux absolument puisqu'il prétend être vrai absolument. De ce
point de vue, le fameux dépassement du
marxisme dans un sens idéaliste et humani-
taire n'est qu'une plaisanterie et un rêve sans
conséquence. Marx ne peut être dépassé, car
il est allé jusqu'au bout de la conséquence.
Les communistes sont fondés raisonnable-

ment à utiliser le mensonge et la violence dont
ne veulent pas les socialistes, et ils y sont fondés par les principes mêmes et la dialectique
irréfutable que les socialistes veulent pourtant
conserver. On ne pouvait donc pas s'étonner
de voir le congrès socialiste se terminer par
une simple juxtaposition de deux positions
contradictoires, dont la stérilité s'est vue sanc-
tionnée par les dernières élections.

De ce point de vue, la confusion continue.
Il fallait choisir et les socialistes ne voulaient
ou ne pouvaient pas choisir.

Je n'ai pas choisi cet exemple pour accabler le socialisme, mais pour éclairer les para-
doxes où nous vivons. Pour accabler les socialistes, il faudrait leur être supérieur. Ce n'est
pas encore le cas. Bien au contraire, il me
semble que cette contradiction est commune
à tous les hommes dont j'ai parlé, qui dési-
rent une société qui serait en même temps
heureuse et digne, qui voudraient que les
hommes soient libres dans une condition enfin juste, mais qui hésitent entre une liberté
où ils savent bien que la justice est finalement
dupée et une justice où ils voient bien que la
liberté est au départ supprimée. Cette angoisse
intolérable est généralement tournée en dérision par ceux qui savent ce qu'il faut croire
ou ce qu'il faut faire Mais je suis d'avis qu'au

lieu de la moquer, il faut la raisonner et
l'éclaircir, voir ce qu'elle signifie, traduire la
condamnation quasi totale qu'elle porte sur le
monde qui la provoque et dégager le faible
espoir qui la soutient.

Et l'espoir réside justement dans cette contradiction parce qu'elle force ou forcera les
socialistes au choix. Ou bien, ils admettront
que la fin couvre les moyens, donc que le
meurtre puisse être légitimé ou bien ils renon-
ceront au marxisme comme philosophie absolue, se bornant à en retenir l'aspect critique, souvent encore valable. S'ils choisissent
le premier terme de l'alternative, la crise de
conscience sera terminée et les situations cla-
rifiées. S'ils admettent le second, ils démon-
treront que ce temps marque la fin des idéologies, c'est-à-dire des utopies absolues qui se
détruisent elles-mêmes, dans l'histoire, par le
prix qu'elles finissent par coûter. Il faudra
choisir alors une autre utopie, plus modeste
et moins ruineuse. C'est ainsi du moins que
le refus de légitimer le meurtre force à poser
la question.

Oui, c'est la question qu'il faut poser et personne, je crois, n'osera y répondre légèrement.

———

LA RÉVOLUTION TRAVESTIE

Depuis août 1944, tout le monde parle chez nous de révolution, et toujours sincèrement, il n'y a pas de doute là-dessus. Mais la sincérité n'est pas une vertu en soi. Il y a des sincérités si confuses qu'elles sont pires que des mensonges. Il ne s'agit pas pour nous aujourd'hui de parler le langage du cœur, mais seulement de penser clair. Idéalement, la révolution est un changement des institutions politiques et économiques propre à faire régner plus de liberté et de justice dans le monde. Pratiquement, c'est l'ensemble des événements historiques, souvent malheureux, qui amènent cet heureux changement.

Peut-on dire aujourd'hui que ce mot soit employé dans son sens classique ? Quand les gens entendent parler de révolution chez nous, et à supposer qu'ils gardent alors leur sang-froid, ils envisagent un changement de mode de la propriété (généralement la mise en commun des moyens de production) obtenu, soit par une législation selon les lois de la majorité, soit à l'occasion de la prise du pouvoir par une minorité.

Il est facile de voir que cet ensemble de notions n'a aucun sens dans les circonstances historiques actuelles. D'une part, la prise de pouvoir par la violence est une idée romantique que le progrès des armements a rendue illusoire. L'appareil répressif d'un gouvernement a toute la force des tanks et des avions. Il faudrait donc des tanks et des avions pour l'équilibrer seulement. 1789 et 1917 sont encore des dates, mais ce ne sont plus des exemples.

En supposant que cette prise du pouvoir soit cependant possible, qu'elle se fasse dans tous les cas par les armes ou par la loi, elle n'aurait d'efficacité que si la France (ou l'Italie ou la Tchécoslovaquie) pouvait être mise entre parenthèses et isolée du monde. Car, dans notre actualité historique, en 1946, une modification du régime de propriété entraînerait, par exemple, de telles répercussions sur les crédits américains que notre économie s'en trouverait menacée de mort. Une révolution de droite n'aurait pas plus de chances, à cause de l'hypothèque parallèle que nous crée la Russie par des millions d'électeurs communistes et sa situation de plus grande puissance continentale. La vérité, que je m'excuse d'écrire en clair, alors que tout le monde la connaît sans la dire, c'est que nous ne sommes pas libres, en tant que Français, d'être révolutionnaires. Ou du moins nous ne pouvons plus être des révolutionnaires solitaires parce qu'il n'y a plus, dans le monde, aujourd'hui, de politiques conservatrices ou socialistes qui puissent se déployer sur le seul plan national.

Ainsi, nous ne pouvons parler que de révolution internationale. Exactement, la révolution se fera à l'échelle internationale ou elle ne se fera pas. Mais quel est encore le sens de cette expression ? Il fut un temps où l'on pensait que la réforme internationale se ferait par la conjonction ou la synchronisation de plusieurs révolutions nationales ; une addition de miracles, en quelque sorte. Aujourd'hui, et si notre analyse précédente est juste, on ne peut plus penser qu'à l'extension d'une révolution qui a déjà réussi. C'est une chose que Staline a très bien vue et c'est l'explication la plus bienveillante qu'on puisse donner de sa politique (l'autre étant de refuser à la Russie le droit de parler au nom de la révolution).

Cela revient à considérer l'Europe et l'Occident comme une seule nation où une importante minorité bien armée pourrait vaincre et lutter pour prendre enfin le pouvoir. Mais la force conservatrice (en l'espèce, les Etats-Unis) étant également bien armée, il est facile

de voir que la notion de révolution est remplacée aujourd'hui par la notion de guerre
idéologique. Plus précisément, la révolution
internationale ne va pas aujourd'hui sans un
risque extrême de guerre. Toute révolution de
l'avenir sera une révolution étrangère. Elle
commencera par une occupation militaire ou,
ce qui revient au même, par un chantage à
l'occupation. Elle n'aura de sens qu'à partir
de la victoire définitive de l'occupant sur le
reste du monde.

A l'intérieur des nations, les révolutions
coûtent déjà très cher. Mais, en considération
du progrès qu'elles sont censées amener, on
accepte généralement la nécessité de ces dé-
gâts. Aujourd'hui, le prix que coûterait la
guerre à l'humanité doit être objectivement
mis en balance avec le progrès qu'on peut
espérer de la prise du pouvoir mondial par la
Russie ou l'Amérique. Et je crois d'une importance définitive qu'on en fasse la balance
et que, pour une fois, on apporte un peu
d'imagination à ce que serait une planète, où
sont encore tenus au frais une trentaine de
millions de cadavres, après un cataclysme qui
nous coûterait dix fois plus.

Je ferai remarquer que cette manière de
raisonner est proprement objective. Elle ne
fait entrer en ligne que l'appréciation de la

réalité, sans engager pour le moment de jugements idéologiques ou sentimentaux. Elle devrait, en tout cas, pousser à la réflexion ceux
qui parlent légèrement de révolution. Ce que
ce mot contient *aujourd'hui* doit être accepté
en bloc ou rejeté en bloc. S'il est accepté, on
doit se reconnaître responsable conscient de
la guerre à venir. S'il est rejeté, on doit, ou
bien se déclarer partisan du *statu quo*, ce qui
est l'utopie totale dans la mesure où elle suppose l'immobilisation de l'histoire, ou bien
renouveler le contenu du mot révolution, ce
qui présente un consentement à ce que j'ap-
pellerai l'utopie relative.

Après avoir un peu réfléchi à cette question, il me semble que les hommes qui dési-
rent aujourd'hui changer efficacement le
monde ont à choisir entre les charniers qui
s'annoncent, le rêve impossible d'une histoire
tout d'un coup stoppée, et l'acceptation d'une
utopie relative qui laisse une chance à la fois
à l'action et aux hommes. Mais il n'est pas
difficile de voir qu'au contraire, cette utopie
relative est la seule possible et qu'elle est seule
inspirée de l'esprit de réalité. Quelle est la
chance fragile qui pourrait nous sauver des
charniers, c'est ce que nous examinerons dans
un prochain article.

———

DÉMOCRATIE ET DICTATURE
INTERNATIONALES

Nous savons aujourd'hui qu'il n'y a plus
d'îles et que les frontières sont vaines. Nous
savons que dans un monde en accélération
constante, où l'Atlantique se traverse en moins
d'une journée, où Moscou parle à Washington
en quelques heures, nous sommes forcés à la
solidarité ou à la complicité, suivant les cas.
Ce que nous avons appris pendant les années
40, c'est que l'injure faite à un étudiant de
Prague frappait en même temps l'ouvrier de
Clichy, que le sang répandu quelque part sur
les bords d'un fleuve du Centre européen devait amener un paysan du Texas à verser le
sien sur le sol de ces Ardennes qu'il voyait
pour la première fois. Il n'était pas comme il
n'est plus une seule souffrance, isolée, une
seule torture en ce monde qui ne se répercute
dans notre vie de tous les jours.

Beaucoup d'Américains voudraient continuer à vivre enfermés dans leur société qu'ils
trouvent bonne. Beaucoup de Russes voudraient peut-être continuer à poursuivre l'expérience étatiste à l'écart du monde capita-

liste. Ils ne le peuvent et ne le pourront plus
jamais. De même, aucun problème économique, si secondaire apparaisse-t-il, ne peut se
régler aujourd'hui en dehors de la solidarité
des nations. Le pain de l'Europe est à Buenos-
Ayres, et les machines-outils de Sibérie sont
fabriquées à Detroit. Aujourd'hui, la tragédie
est collective.

Nous savons donc tous, sans l'ombre d'un
doute, que le nouvel ordre que nous cherchons ne peut être seulement national ou
même continental, ni surtout occidental ou
oriental. Il doit être universel. Il n'est plus
possible d'espérer des solutions partielles ou
des concessions. Le compromis, c'est ce que
nous vivons c'est-à-dire l'angoisse pour aujourd'hui et le meurtre pour demain. Et pendant ce temps, la vitesse de l'histoire et du
monde s'accélère. Les vingt et un sourds,
futurs criminels de guerre, qui discutent
aujourd'hui de paix échangent leurs monoto-
nes dialogues, tranquillement assis au centre
d'un rapide qui les entraîne vers le gouffre,
à mille kilomètres à l'heure. Oui, cet ordre
universel est le seul problème du moment et
qui passe toutes les querelles de constitution
et de loi électorale. C'est lui qui exige que
nous lui appliquions les ressources de nos intelligences et de nos volontés.

Quels sont aujourd'hui les moyens d'atteindre cette unité du monde, de réaliser cette révolution internationale, où les ressources en
hommes, les matières premières, les marchés
commerciaux et les richesses spirituelles pourront se trouver mieux redistribuées ? Je n'en
vois que deux et ces deux moyens définissent
notre ultime alternative. Ce monde peut être
unifié, d'en haut, comme je l'ai dit hier, par
un seul Etat plus puissant que les autres. La
Russie ou l'Amérique peuvent prétendre à ce
rôle. Je n'ai rien, et aucun des hommes que
je connais n'a rien à répliquer à l'idée défendue par certains, que la Russie ou l'Amérique
ont les moyens de régner et d'unifier ce monde
à l'image de leur société. J'y répugne en tant
que Français, et plus encore en tant que Mé-
diterranéen. Mais je ne tiendrai aucun compte
de cet argument sentimental.

Notre seule objection, la voici, telle que je
l'ai définie dans un dernier article : cette unification ne peut se faire sans la guerre ou, tout
au moins, sans un risque extrême de guerre.
J'accorderai encore, ce que je ne crois pas,
que la guerre puisse ne pas être atomique. Il
n'en reste pas moins que la guerre de demain
laisserait l'humanité si mutilée et si appau-
vrie que l'idée même d'un ordre y deviendrait
définitivement anachronique. Marx pouvait

justifier comme il l'a fait, la guerre de 1870, car elle était la guerre du fusil Chassepot et elle était localisée. Dans les perspectives du marxisme, cent mille morts ne sont rien, en effet, au prix du bonheur de centaines de millions de gens. Mais la mort certaine de centaines de millions de gens, pour le bonheur supposé de ceux qui restent, est un prix trop cher. Le progrès vertigineux des armements, fait historique ignoré par Marx, force à poser de nouvelle façon le problème de la fin et des moyens.

Et le moyen, ici, ferait éclater la fin. Quelle que soit la fin désirée, si haute et si nécessaire soit-elle, qu'elle veuille ou non consacrer le bonheur des hommes, qu'elle veuille consacrer la justice ou la liberté, le moyen employé pour y parvenir représente un risque si définitif, si disproportionné en grandeur avec les chances de succès, que nous refusons objectivement de le courir. Il faut donc en revenir au deuxième moyen propre à assurer cet ordre universel, et qui est l'accord mutuel de toutes les parties. Nous ne nous demanderons pas s'il est possible, considérant ici qu'il est justement le seul possible. Nous nous demanderons d'abord ce qu'il est.

Cet accord des parties a un nom qui est la démocratie internationale. Tout le monde en parle à l'O.N.U., bien entendu. Mais qu'est-ce que la démocratie internationale ? C'est une démocratie qui est internationale. On me pardonnera ici ce truisme, puisque les vérités les plus évidentes sont aussi les plus travesties.

Qu'est-ce que la démocratie nationale ou internationale ? C'est une forme de société où la loi est au-dessus des gouvernants, cette loi étant l'expression de la volonté de tous, représentée par un corps législatif. Est-ce là ce qu'on essaie de fonder aujourd'hui ? On nous prépare, en effet, une loi internationale. Mais cette loi est faite ou défaite par des gouvernements, c'est-à-dire par l'exécutif. Nous sommes donc en régime de dictature internationale. La seule façon d'en sortir est de mettre la loi internationale au-dessus des gouvernements, donc de faire cette loi, donc de disposer d'un parlement, donc de constituer ce parlement au moyen d'élections mondiales auxquelles participeront tous les peuples. Et puisque nous n'avons pas ce parlement, le seul moyen est de résister à cette dictature internationale sur un plan international et selon des moyens qui ne contrediront pas la fin poursuivie.

———

LE MONDE VA VITE

Il est évident pour tous que la pensée politique se trouve de plus en plus dépassée par
les événements. Les Français, par exemple,
ont commencé la guerre de 1914 avec les
moyens de la guerre de 1870 et la guerre de
1939 avec les moyens de 1918. Mais aussi bien
la pensée anachronique n'est pas une spécia-
lité française. Il suffira de souligner ici que,
pratiquement, les grandes politiques d'aujour-
d'hui prétendent régler l'avenir du monde au
moyen de principes formés au XVIIIᵉ siècle en
ce qui concerne le libéralisme capitaliste, et
au XIXᵉ en ce qui regarde le socialisme, dit
scientifique. Dans le premier cas, une pensée
née dans les premières années de l'industria-
lisme moderne et dans le deuxième cas, une
doctrine contemporaine de l'évolutionisme
darwinien et de l'optimisme renanien se proposent de mettre en équation l'époque de la
bombe atomique, des mutations brusques et
du nihilisme. Rien ne saurait mieux illustrer
le décalage de plus en plus désastreux qui s'ef-
fectue entre la pensée politique et la réalité
historique.

Bien entendu, l'esprit a toujours du retard sur le monde. L'histoire court pendant que l'esprit médite. Mais ce retard inévitable grandit aujourd'hui à proportion de l'accélération historique. Le monde a beaucoup plus changé dans les cinquante dernières années qu'il ne l'avait fait auparavant en deux cents ans. Et l'on voit le monde s'acharner aujourd'hui à régler des problèmes de frontières quand tous les peuples savent que les frontières sont aujourd'hui abstraites. C'est encore le principe des nationalités qui a fait semblant de régner à la Conférence des Vingt et un.

Nous devons tenir compte de cela dans notre analyse de la réalité historique. Nous centrons aujourd'hui nos réflexions autour du problème allemand, qui est un problème secondaire par rapport au choc d'empires qui nous menace. Mais si, demain, nous concevions des solutions internationales en fonction du problème russo-américain, nous risquerions de nous voir à nouveau dépassés. Le choc d'empires est déjà en passe de devenir secondaire, par rapport au choc des civilisations. De toutes parts, en effet, les civilisations colonisées font entendre leurs voix. Dans dix ans, dans cinquante ans, c'est la prééminence de la civilisation occidentale qui sera remise en question. Autant donc y penser tout de suite et ouvrir

le Parlement mondial à ces civilisations, afin
que sa loi devienne vraiment universelle, et
universel l'ordre qu'elle consacre.

Les problèmes que pose aujourd'hui le droit
de veto sont faussés parce que les majorités
ou les minorités qui s'opposent à l'O. N. U.
sont fausses. L'U.R.S.S. aura toujours le droit
de réfuter la loi de la majorité tant que celle-ci
sera une majorité de ministres, et non une
majorité de peuples représentés par leurs délé-
gués et tant que tous les peuples, précisément,
n'y seront pas représentés. Le jour où cette
majorité aura un sens, il faudra que chacun
lui obéisse ou rejette sa loi, c'est-à-dire déclare
ouvertement sa volonté de domination.

De même, si nous gardons constamment à
l'esprit cette accélération du monde, nous ris-
quons de trouver la bonne manière de poser
le problème économique d'aujourd'hui. On
n'envisageait plus, en 1930, le problème du
socialisme comme on le faisait en 1848. A
l'abolition de la propriété avait succédé la
technique de la mise en commun des moyens
de production. Et cette technique, en effet,
outre qu'elle réglait en même temps le sort
de la propriété, tenait compte de l'échelle
agrandie où se posait le problème économique. Mais, depuis 1930, cette échelle s'est encore accrue. Et, de même que la solution poli-

tique sera internationale, ou ne sera pas, de
même la solution économique doit viser
d'abord les moyens de production internatio-
naux : pétrole, charbon et uranium. Si collec-
tivisation il doit y avoir, elle doit porter sur
les ressources indispensables à tous et qui, en
effet, ne doivent être à personne. Le reste, tout
le reste, relève du discours électoral.

Ces perspectives sont utopiques aux yeux de
certains, mais pour tous ceux qui refusent
d'accepter la chance d'une guerre, c'est cet
ensemble de principes qu'il convient d'affirmer et de défendre sans aucune réserve. Quant
à savoir les chemins qui peuvent nous rapprocher d'une semblable conception, ils ne
peuvent pas s'imaginer sans la réunion des
anciens socialistes et des hommes d'aujour-
d'hui, solitaires à travers le monde.

Il est possible, en tout cas, de répondre une
nouvelle fois, et pour finir, à l'accusation
d'utopie. Car, pour nous, la chose est simple :
ce sera l'utopie ou la guerre, telle que nous
la préparent des méthodes de pensée périmées.
Le monde a le choix aujourd'hui entre la pensée politique anachronique et la pensée utopique. La pensée anachronique est en train de
nous tuer. Si méfiants que nous soyons (et que
je sois), l'esprit de réalité nous force donc à
revenir à cette utopie relative. Quand elle sera

rentrée dans l'Histoire, comme beaucoup d'autres utopies du même genre, les hommes
n'imagineront plus d'autre réalité. Tant il est
vrai que l'Histoire n'est que l'effort désespéré
des hommes pour donner corps aux plus clair-
voyants de leurs rêves.

UN NOUVEAU CONTRAT SOCIAL

Je me résume. Le sort des hommes de toutes les nations ne sera pas réglé avant que soit
réglé le problème de la paix et de l'organisation du monde. Il n'y aura de révolution efficace nulle part au monde avant que cette ré-
volution-là soit faite. Tout ce qu'on dit
d'autre, en France, aujourd'hui, est futile ou
intéressé. J'irai même plus loin. Non seulement le mode de propriété ne sera changé
durablement en aucun point du globe, mais
les problèmes les plus simples, comme le pain
de tous les jours, la grande faim qui tord les
ventres d'Europe, le charbon, ne recevront
aucune solution tant que la paix ne sera pas
créée.

Toute pensée qui reconnaît loyalement son

incapacité à justifier le mensonge et le meurtre est amenée à cette conclusion, pour peu
qu'elle ait le souci de la vérité. Il lui reste
donc à se conformer tranquillement à ce raisonnement.

Elle reconnaîtra ainsi : 1° que la politique
intérieure, considérée dans sa solitude, est une
affaire proprement secondaire et d'ailleurs
impensable ; 2° que le seul problème est la
création d'un ordre international qui appor-
tera finalement les réformes de structure du-
rables par lesquelles la révolution se définit ;
3° qu'il n'existe plus, à l'intérieur des nations, que des problèmes d'administration
qu'il faut régler provisoirement, et du mieux
possible, en attendant un règlement politique
plus efficace parce que plus général.

Il faudra dire, par exemple, que la Constitution française ne peut se juger qu'en fonction du service qu'elle rend ou qu'elle ne rend
pas à un ordre international fondé sur la justice et le dialogue. De ce point de vue, l'indifférence de notre Constitution aux plus simples libertés humaines est condamnable. Il
faudra reconnaître que l'organisation provisoire du ravitaillement est dix fois plus importante que le problème des nationalisations
ou des statistiques électorales. Les nationalisations ne seront pas viables dans un seul

pays. Et si le ravitaillement ne peut pas se régler non plus sur le seul plan national, il est du moins plus pressant et il impose le recours à des expédients, même provisoires.

Tout cela peut donner, par conséquent, à notre jugement sur la politique intérieure le critérium qui lui manquait jusque-là. Trente éditoriaux de l'*Aube* auront beau s'opposer tous les mois à trente éditoriaux de l'*Humanité*, ils ne pourront nous faire oublier que ces deux journaux, avec les partis qu'ils représentent et les hommes qui les dirigent, ont accepté l'annexion sans referendum de Brigue et Tende, et qu'ils se sont ainsi rejoints dans une même entreprise de destruction à l'égard de la démocratie internationale. Que leur volonté soit bonne ou mauvaise, M. Bidault et M. Thorez favorisent également le principe de la dictature internationale. De ce point de vue, et quoi qu'on puisse en penser, ils représentent dans notre politique, non pas la réalité, mais l'utopie la plus malheureuse.

Oui, nous devons enlever son importance à la politique intérieure. On ne guérit pas la peste avec les moyens qui s'appliquent aux rhumes de cerveau. Une crise qui déchire le monde entier doit se régler à l'échelle universelle. L'ordre pour tous, afin que soit diminué pour chacun le poids de la misère et de la

peur, c'est aujourd'hui notre objectif logique.
Mais cela demande une action et des sacrifices, c'est-à-dire des hommes. Et s'il y a beaucoup d'hommes aujourd'hui, qui, dans le
secret de leur cœur, maudissent la violence et
la tuerie, il n'y en a pas beaucoup qui veuil-
lent reconnaître que cela les force à reconsidérer leur pensée ou leur action. Pour ceux
qui voudront faire cet effort cependant, ils y
trouveront une espérance raisonnable et la
règle d'une action.

Ils admettront qu'ils n'ont pas grand'chose
à attendre des gouvernements actuels, puisque
ceux-ci vivent et agissent selon des principes
meurtriers. Le seul espoir réside dans la plus
grande peine, celle qui consiste à reprendre
les choses à leur début pour refaire une société
vivante à l'intérieur d'une société condamnée.
Il faut donc que ces hommes, un à un, refas-
sent entre eux, à l'intérieur des frontières et
par-dessus elles, un nouveau contrat social qui
les unisse suivant des principes plus raisonnables.

Le mouvement pour la paix dont j'ai parlé
devrait pouvoir s'articuler à l'intérieur des
nations sur des communautés de travail et,
par-dessus les frontières, sur des communautés de réflexion, dont les premières, selon des
contrats de gré à gré sur le mode coopératif,

soulageraient le plus grand nombre possible
d'individus et dont les secondes s'essaieraient
à définir les valeurs dont vivra cet ordre international, en même temps qu'elles plaideraient
pour lui, en toute occasion.

Plus précisément, la tâche de ces dernières
serait d'opposer des paroles claires aux confu-
sions de la terreur, et de définir en même
temps les valeurs indispensables à un monde
pacifié Un code de justice internationale dont
le premier article serait l'abolition générale
de la peine de mort, une mise au clair des
principes nécessaires à toute civilisation du
dialogue pourraient être ses premiers objectifs. Ce travail répondrait aux besoins d'une
époque qui ne trouve dans aucune philosophie
les justifications nécessaires à la soif d'amitié
qui brûle aujourd'hui les esprits occidentaux.
Mais il est bien évident qu'il ne s'agirait pas
d'édifier une nouvelle idéologie. Il s'agirait
seulement de rechercher un style de vie.

Ce sont là, en tout cas, des motifs de réflexion et je ne puis m'y étendre dans le cadre
de ces articles. Mais, pour parler plus concrè-
tement, disons que des hommes qui décide-
raient d'opposer, en toutes circonstances,
l'exemple à la puissance, la prédication à la
domination, le dialogue à l'insulte et le simple honneur à la ruse ; qui refuseraient tous

les avantages de la société actuelle et n'accepteraient que les devoirs et les charges qui les
lient aux autres hommes ; qui s'applique-
raient à orienter l'enseignement surtout, la
presse et l'opinion ensuite, suivant les principes de conduite dont il a été question jusqu'ici, ces hommes-là n'agiraient pas dans
le sens de l'utopie, c'est l'évidence même,
mais, selon le réalisme le plus honnête. Ils
prépareraient l'avenir et, par là, feraient dès
aujourd'hui, tomber quelques-uns des murs
qui nous oppressent. Si le réalisme est l'art
de tenir compte, à la fois, du présent et de
l'avenir, d'obtenir le plus en sacrifiant le
moins, qui ne voit que la réalité la plus aveu-
glante serait alors leur part ?

Ces hommes se lèveront ou ne se lèveront
pas, je n'en sais rien. Il est probable que la
plupart d'entre eux réfléchissent en ce moment et cela est bien. Mais il est sûr que l'efficacité de leur action ne se séparera pas du
courage avec lequel ils accepteront de renoncer, pour l'immédiat, à certains de leurs rêves, pour ne s'attacher qu'à l'essentiel qui est
le sauvetage des vies. Et arrivé ici, il faudra
peut-être, avant de terminer, élever la voix.

———

VERS LE DIALOGUE

Oui, il faudrait élever la voix. Je me suis défendu jusqu'à présent de faire appel aux forces du sentiment. Ce qui nous broie aujourd'hui, c'est une logique historique que nous avons créée de toutes pièces et dont les nœuds finiront par nous étouffer. Et ce n'est pas le sentiment qui peut trancher les nœuds d'une logique qui déraisonne, mais seulement une raison qui raisonne dans les limites qu'elle se connaît. Mais je ne voudrais pas, pour finir, laisser croire que l'avenir du monde peut se passer de nos forces d'indignation et d'amour. Je sais bien qu'il faut aux hommes de grands mobiles pour se mettre en marche et qu'il est difficile de s'ébranler soi-même pour un combat dont les objectifs sont si limités et où l'espoir n'a qu'une part à peine raisonnable. Mais il n'est pas question d'entraîner des hommes. L'essentiel, au contraire, est qu'ils ne soient pas entraînés et qu'ils sachent bien ce qu'ils font.

Sauvez ce qui peut encore être sauvé, pour rendre l'avenir seulement possible, voilà le grand mobile, la passion et le sacrifice deman-

dés. Cela exige seulement qu'on y réfléchisse
et qu'on décide clairement s'il faut encore
ajouter à la peine des hommes pour des fins
toujours indiscernables, s'il faut accepter que
le monde se couvre d'armes et que le frère tue
le frère à nouveau, ou s'il faut, au contraire,
épargner autant qu'il est possible le sang et
la douleur pour donner seulement leur chance
à d'autres générations qui seront mieux armées que nous.

Pour ma part, je crois être à peu près sûr
d'avoir choisi. Et, ayant choisi, il m'a semblé
que je devais parler, dire que je ne serais plus
jamais de ceux, quels qu'ils soient, qui s'ac-
commodent du meurtre et en tirer les conséquences qui conviennent. La chose est faite et
je m'arrêterai donc aujourd'hui. Mais, auparavant, je voudrais qu'on sente bien dans quel
esprit j'ai parlé jusqu'ici.

On nous demande d'aimer ou de détester
tel ou tel pays et tel ou tel peuple. Mais nous
sommes quelques-uns à trop bien sentir nos
ressemblances avec tous les hommes pour accepter ce choix. La bonne façon d'aimer le
peuple russe, en reconnaissance de ce qu'il
n'a jamais cessé d'être, c'est-à-dire le levain
du monde dont parlent Tolstoï et Gorki, n'est
pas de lui souhaiter les aventures de la puissance, c'est de lui épargner, après tant d'épreu-

ves passées, une nouvelle et terrible saignée.
Il en est de même pour le peuple américain
et pour la malheureuse Europe. C'est le genre
de vérités élémentaires qu'on oublie dans les
fureurs du jour.

Oui, ce qu'il faut combattre aujourd'hui,
c'est la peur et le silence, et avec eux la séparation des esprits et des âmes qu'ils entraî-
nent. Ce qu'il faut défendre, c'est le dialogue
et la communication universelle des hommes
entre eux. La servitude, l'injustice, le mensonge sont les fléaux qui brisent cette communication et interdisent ce dialogue. C'est pourquoi nous devons les refuser. Mais ces fléaux
sont aujourd'hui la matière même de l'histoire et, partant, beaucoup d'hommes les con-
sidèrent comme des maux nécessaires. Il est
vrai, aussi bien, que nous ne pouvons pas
échapper à l'histoire, puisque nous y sommes
plongés jusqu'au cou. Mais on peut prétendre
à lutter dans l'histoire pour préserver cette
part de l'homme qui ne lui appartient pas.
C'est là tout ce que j'ai voulu dire. Et dans
tous les cas, je définirai mieux encore cette
attitude et l'esprit de ces articles par un raisonnement dont je voudrais, avant de finir,
qu'on le médite loyalement.

Une grande expérience met en marche aujourd'hui toutes les nations du monde, selon

les lois de la puissance et de la domination.
Je ne dirai pas qu'il faut empêcher ni laisser
se poursuivre cette expérience. Elle n'a pas
besoin que nous l'aidions et, pour le moment, elle se moque que nous la contrarions.
L'expérience se poursuivra donc. Je poserai
simplement cette question : « Qu'arrivera-t-il
si l'expérience échoue, si la logique de l'histoire se dément, sur laquelle tant d'esprits se
reposent pourtant ? » Qu'arrivera-t-il si, malgré deux ou trois guerres, malgré le sacrifice
de plusieurs générations et de quelques valeurs, nos petits-fils, en supposant qu'ils existent, ne se retrouvent pas plus rapprochés de
la société universelle ? Il arrivera que les survivants de cette expérience n'auront même
plus la force d'être les témoins de leur propre
agonie. Puisque donc l'expérience se poursuit
et qu'il est inévitable qu'elle se poursuive encore, il n'est pas mauvais que des hommes se
donnent pour tâche de préserver au long de
l'histoire apocalyptique qui nous attend, la
réflexion modeste qui, sans prétendre tout résoudre, sera toujours prête à un moment quel-
conque, pour fixer un sens à la vie de tous les
jours. L'essentiel est que ces hommes pèsent
bien, et une fois pour toutes, le prix qu'il leur
faudra payer.

Je puis maintenant conclure. Tout ce qui

me paraît désirable, en ce moment, c'est
qu'au milieu du monde du meurtre, on se
décide à réfléchir au meurtre et à choisir. Si
cela pouvait se faire, nous nous partagerions
alors entre ceux qui acceptent à la rigueur
d'être des meurtriers et ceux qui s'y refusent
de toutes leurs forces. Puisque cette terrible
division existe, ce sera au moins un progrès
que de la rendre claire. A travers cinq conti-
nents, et dans les années qui viennent, une
interminable lutte va se poursuivre entre la
violence et la prédication. Et il est vrai que
les chances de la première sont mille fois plus
grandes que celles de la dernière. Mais j'ai toujours pensé que si l'homme qui espérait dans
la condition humaine était un fou, celui qui
désespérait des événements était un lâche. Et
désormais, le seul honneur sera de tenir obs-
tinément ce formidable pari qui décidera enfin si les paroles sont plus fortes que les balles.

DEUX REPONSES A EMMANUEL
D'ASTIER DE LA VIGERIE

PREMIÈRE RÉPONSE

(Caliban, n° 16.)

Je passerai sur le titre, imprudent à mon
avis, que vous avez donné à votre réponse [1].
Je passerai aussi sur deux ou trois contradic-
tions dont je ne veux pas tirer avantage. Je
ne cherche pas à avoir raison contre vous, et
ce qui m'intéresse, c'est de vous répondre sur
l'essentiel. Là commence mon embarras. Car
vous n'avez justement pas parlé de l'essentiel,
et les objections que vous me faites me paraissent le plus souvent secondaires ou sans objet. Si je veux y répondre d'abord, c'est seulement pour avoir le champ libre.

Ce n'est pas me réfuter en effet que de
réfuter la non-violence. Je n'ai jamais plaidé
pour elle. Et c'est une attitude qu'on me prête

1. *Arrachez la victime aux bourreaux.* Caliban,
n° 15.

pour la commodité d'une polémique. Je ne pense pas qu'il faille répondre aux coups par la bénédiction. Je crois que la violence est inévitable, les années d'occupation me l'ont appris. Pour tout dire, il y a eu, en ce temps-là, de terribles violences qui ne m'ont posé aucun problème. Je ne dirai donc point qu'il faut supprimer toute violence, ce qui serait souhaitable, mais utopique, en effet. Je dis seulement qu'il faut refuser toute légitimation de la violence, que cette légitimation lui vienne d'une raison d'Etat absolue, ou d'une philosophie totalitaire. La violence est à la fois inévitable et injustifiable. Je crois qu'il faut lui garder son caractère exceptionnel et la resserrer dans les limites qu'on peut. Je ne prêche donc ni la non-violence, j'en sais malheureusement l'impossibilité, ni, comme disent les farceurs, la sainteté : je me connais trop pour croire à la vertu toute pure. Mais dans un monde où l'on s'emploie à justifier la terreur avec des arguments opposés, je pense qu'il faut apporter une limitation à la violence, la cantonner dans certains secteurs quand elle est inévitable, amortir ses effets terrifiants en l'empêchant d'aller jusqu'au bout de sa fureur. J'ai horreur de la violence confortable. J'ai horreur de ceux dont les paroles vont plus loin que les actes. C'est en cela

que je me sépare de quelques-uns de nos
grands esprits, dont je m'arrêterai de mépriser les appels au meurtre quand ils tiendront
eux-mêmes les fusils de l'exécution.

Au début de votre article, vous me deman-
dez pour quelles raisons je me suis placé du
côté de la Résistance. C'est une question qui
n'a pas de sens pour un certain nombre
d'hommes, dont je suis. Je ne m'imaginais
pas ailleurs, voilà tout. Il me semblait, et il
me semble toujours, qu'on ne peut pas être
du côté des camps de concentration. J'ai compris alors que je détestais moins la violence,
que les institutions de la violence. Et pour
être tout à fait précis, je me souviens très bien
du jour où la vague de la révolte qui m'habi-
tait a atteint son sommet. C'était un matin,
à Lyon, et je lisais dans le journal l'exécution de Gabriel Péri.

C'est ce qui donne le droit aux hommes
dont je suis, (et à eux seuls, d'Astier !) de
crier leur dégoût et leur mépris à l'actuel
gouvernement grec et de le combattre par des
moyens qui seront finalement plus efficaces
que les vôtres. Les hommes d'Athènes sont
d'abjects bourreaux. Ils ne sont pas les seuls,
mais ils viennent de faire éclater à la face du
monde la culpabilité, ordinairement mieux

travestie, de la société bourgeoise. Je connais
votre réponse. A la limite, vous prétendrez
que pour que les communistes grecs ne soient
pas fusillés, il faut réduire au silence ou liqui-
der le nombre nécessaire de non-communis-
tes. Ceci suppose que seuls les communistes
méritent d'être sauvés, parce que, seuls, ils
sont dans la vérité. Je dis, moi, qu'ils le méritent en effet, mais au même titre que les
autres hommes. Je dis que le répugnant problème qui se pose à nous ne peut pas recevoir une solution qui soit seulement statis-
tique. La punition des bourreaux ne peut pas
signifier la multiplication des victimes. Et,
nous devons prendre, en nous-mêmes et autour de nous, des mesures (une mesure) pour
que le jugement nécessaire ne coïncide pas
avec une apocalypse sans lendemain. Tout le
reste est morale primitive ou folie de l'orgueil. Même si la violence que vous préconi-
sez était plus progressive, comme disent nos
philosophes-spectateurs, je dirais encore qu'il
faut la limiter. Mais l'est-elle ? C'est le fond
du problème sur lequel je reviendrai.

Dans tous les cas, lorsque vous me plaignez
d'être un résigné, je puis bien dire que cette
commisération n'a pas d'objet. Votre erreur
est excusable, d'ailleurs. Nous sommes au
temps des hurlements et un homme qui re-

fuse cette ivresse facile fait figure de résigné.
J'ai le malheur de ne pas aimer les parades,
civiles ou militaires. Laissez-moi vous dire
cependant, sans élever le ton, que la vraie
résignation conduit à l'aveugle orthodoxie et
le désespoir aux philosophies de la violence.
C'est assez vous dire que je ne me résignerai
jamais à rien de ce à quoi vous avez déjà
consenti.

Je ne crois pas non plus qu'il soit raisonnable ni généreux de m'accuser d'être un intellectuel et de préférer la préservation de ma
vie intérieure à la libération de l'homme.
Vous êtes venu tard à la conscience politique,
dites-vous ? Je le savais. Mais cette conversion,
si elle n'a rien que d'honorable, ne vous con-
fère pas le privilège de nier d'un trait de
plume les années que d'autres ont consacrées,
avec plus ou moins de bonheur, à lutter contre toutes les formes de la tyrannie. Elle
devrait au contraire vous pousser à vous interroger sur les raisons que peuvent avoir
aujourd'hui ces mêmes hommes de se dresser
contre les entraînements de la violence. La
condamnation que ceux qui me ressemblent
ont opposée, activement, à la société du profit et de la puissance, ne date pas d'hier. Si
vous consentez justement à vous interroger,

alors autant vous dire que j'ai l'illusion, parlant contre vous, de parler encore contre la société bourgeoise.

Un des vôtres m'envoie son livre sur le marxisme, courtoisement d'ailleurs, mais en notant que je n'ai pas appris la liberté dans Marx. Il est vrai : je l'ai apprise dans la misère. Mais la plupart d'entre vous ne savent pas ce que ce mot veut dire. Et je parle justement au nom de ceux qui ont partagé cette misère avec moi et dont je sais que le premier désir est d'avoir la paix parce qu'ils savent qu'ils n'auront pas la justice dans la guerre. Objectivement, comme vous dites, ceux-là ont-ils tort ? Nous le verrons. Mais n'accusez pas alors les intellectuels ou la vie intérieure, et reconnaissez clairement que dans votre système un ouvrier opposant ne s'admet pas plus qu'un intellectuel dissident. Dites ouvertement que c'est la notion même d'opposition qui est en cause. Alors nous serons dans la vérité, et il vous restera à justifier cette belle théorie. Et nous dialoguerons sur cette justification.

C'est bien ici que nous approchons du vrai problème. Mais auparavant, il faut que je démente les positions que vous me prêtez à deux reprises. Ce n'est pas le capitalisme et le socialisme que j'ai renvoyés dos à dos (vous le

savez bien, d'ailleurs), mais celles de leurs
idéologies qui ont pris la forme conquérante,
c'est-à-dire le libéralisme impérialiste et le
marxisme. Et de ce point de vue, je maintien-
drai ce que j'ai affirmé, que ces idéologies,
nées il y a un siècle, au temps de la machine
à vapeur et de l'optimisme scientifique béat,
sont aujourd'hui périmées, et incapables, sous
leur forme actuelle, de résoudre les problèmes
qui se posent au siècle de l'atome et de la relativité.

Vous avez choisi la machine à vapeur et
c'est cela même qui vous empêche de voir,
par exemple, qu'on peut objecter beaucoup
de choses à l'idée d'un parlement mondial,
sauf, comme vous le dites, de codifier l'anarchie. L'anarchie, au sens vulgaire, n'existe
dans une société que lorsque chacun fait ce
qu'il veut et tout ce qu'il veut. Et l'anarchie
de notre société internationale tient justement à ce que chaque nation n'obéit qu'à elle-
même à un moment où il n'y a plus d'économie nationale. L'anarchie, aujourd'hui,
c'est la souveraineté, et il est facile de voir
que c'est vous qui la défendez, au profit
indirect de quelques Etats bourgeois ou poli-
ciers.

Mais ces malentendus me paraissent inévi-
tables parce que vous n'avez pas abordé l'es-

sentiel. C'est à lui qu'il faut en venir maintenant.

Je n'ai dit qu'une chose dans le raisonnement que j'ai essayé de tenir ici même. J'ai
dit qu'aucune nation d'Europe n'était plus
libre de faire seule sa révolution, que la révolution serait mondiale ou ne serait pas, mais
qu'elle ne pouvait avoir la figure de nos vieux
rêves : elle devait passer aujourd'hui par la
guerre idéologique. Et j'ai simplement demandé qu'on réfléchisse à cela dont personne
ne veut parler. Vous n'avez pas dit si cette
analyse vous paraissait vraie ou fausse, mais
c'est pourtant elle qu'il faudrait discuter. Car
ce n'est pas discuter que de dire que je re-
nonce à 1789 et 1917. Ceci est absurde. Dans
les choses de l'esprit et de l'histoire, il y a des
héritages qu'on ne peut renoncer. Ce n'est
pas discuter non plus que de dire que je mets
guerre et révolution dans le même sac. Car
ici vous déformez gravement ce que vous avez
dû pourtant lire : j'ai seulement écrit, qu'aujourd'hui, en 1948, guerre et révolution se
confondaient. Vous vous bornez à refuser le
pacifisme, d'ailleurs raisonnable, que mon
analyse impliquait, en invoquant l'importance
de l'enjeu et le prix qu'il faut payer pour la
libération humaine. Et sans doute Marx n'a

pas reculé en 1870 devant l'éloge de la guerre
dont il pensait qu'elle devait faire progresser
par ses conséquences les mouvements d'émancipation. Mais il s'agissait d'une guerre rela-
tivement économique et Marx raisonnait en
fonction du fusil chassepot qui est une arme
d'écolier. Aujourd'hui vous et moi savons que
les lendemains d'une guerre atomique sont
inimaginables et que parler de l'émancipation
humaine dans un monde dévasté par une
troisième guerre mondiale a quelque chose
qui ressemble à une provocation. Allez donc
expliquer aux habitants de Saint-Malo ou de
Caen qu'une troisième guerre doit améliorer
leur sort !

Sur le plan théorique, on peut admettre
que le matérialisme dialectique exige les sacrifices les plus considérables en fonction
d'une société juste dont la probabilité sera
très forte. Que signifient ces sacrifices, si la
probabilité est réduite à rien, s'il s'agit d'une
société qui agonisera dans les décombres d'un
continent atomisé ? C'est la seule question qui
se pose. Je me la suis posée et je ne me suis
pas reconnu le droit de recommander autre
chose que la lutte contre la guerre, et le très
long effort qui doit réaliser une vraie démocratie internationale. Pour tout dire, je ne

vois pas comment un esprit soucieux de justice, et acquis à un idéal de libération, pourrait choisir autre chose. Si donc la justice
était seule en question, aucun socialiste par
exemple, aucune conscience politique en tout
cas, ne devrait se refuser à adopter cette position. Et si une partie de l'intelligence européenne, loin de l'adopter, la combat au contraire, c'est qu'il ne s'agit pas de la justice,
cela est clair. C'est ici que commence la mystification qui veut nous faire croire que la
politique de puissance, quelle qu'elle soit,
peut nous amener une société meilleure où
la libération sociale sera enfin réalisée. La
politique de puissance signifie la préparation
à la guerre. La préparation à la guerre, et à
plus forte raison la guerre elle-même, rendent
justement impossible cette libération sociale.
La libération sociale et la dignité ouvrière
dépendent étroitement de la création d'un
ordre international. La seule question est de
savoir si on y arrivera par la guerre ou par la
paix. C'est à propos de ce choix que nous devons nous réunir ou nous séparer. Tous les
autres choix me paraissent futiles.

Vous dites que pour supprimer la guerre,
il faut supprimer le capitalisme. Je le veux
bien. Mais pour supprimer le capitalisme, il
vous faut lui faire la guerre. Ceci est absurde,

et je continue de penser qu'on ne combat pas
le mauvais par le pire, mais par le moins
mauvais. Vous me direz qu'il s'agit de la dernière guerre, celle qui va tout arranger. J'ai
bien peur, en effet, qu'elle soit la dernière et
dans tous les cas, je m'inquiète de voir lancer
des hommes dans cette nouvelle aventure en
leur disant, une fois de plus, qu'il faut le faire
pour que leurs enfants ne voient plus ça. A
la vérité, le monde capitaliste et Staline lui-
même hésitent devant la guerre. Mais vous,
qui vous dites socialiste, vous semblez ne pas
hésiter. Ce n'est paradoxal qu'en apparence
et je voudrais vous dire pourquoi, aussi simplement que je le pourrai.

Un certain aspect critique du marxisme me
paraît toujours valable. Mais si j'étais marxiste,
j'aurais tiré de la grande notion de mystification l'idée que les meilleures intentions, y
compris celles qui sous-tendent le marxisme
d'aujourd'hui, peuvent être mystifiées. Il y
avait dans Marx une leçon de modestie qui
me semble en passe d'être oubliée. Il y avait
aussi dans Marx une soumission à la réalité,
et une humilité devant l'expérience qui l'auraient sans doute conduit à reviser quelques-
uns des points de vue que ses disciples d'aujourd'hui veulent désespérément maintenir

dans la sclérose du dogme. Il me semble impensable que Marx lui-même, devant la désintégration de l'atome et devant la croissance terrifiante des moyens de destruction, n'eût pas été amené à reconnaître que les données objectives du problème révolutionnaire avaient changé. C'est aussi que Marx aimait les hommes (les vrais, les vivants, et non ceux de la douzième génération qu'il vous est plus facile d'aimer, puisqu'ils ne sont pas là pour dire quelle est la sorte d'amour dont ils ne veulent pas).

Mais certains marxistes, eux, ne veulent pas voir que les données objectives ont changé. Et il y a beaucoup de choses depuis cinquante ans dont ils n'ont pas voulu tenir compte. C'est qu'ils préfèrent à l'histoire telle qu'elle est l'idée qu'ils se font de l'histoire. C'est la faiblesse rationaliste. Marx a cru qu'il avait corrigé Hegel. Mais ce qu'il a véhiculé de Hegel a triomphé de lui chez ses successeurs. La raison en est simple et je vais vous la dire, non pas avec le dédain des juges, mais avec l'angoisse de quelqu'un qui connaît trop bien sa complicité avec son époque entière pour se croire lavé de tout reproche. Les marxistes du xxᵉ siècle (et ils ne sont pas les seuls) se trouvent à l'extrémité de cette longue tragédie de l'intelligence contemporaine qu'on ne

pourrait résumer qu'en écrivant l'histoire de
l'orgueil européen. Il y avait dans Lénine
Marx et Netchaiev. C'est Netchaiev qui triomphe peu à peu. Et le rationalisme le plus absolu que l'histoire ait connu finit, comme il
est logique, par s'identifier au nihilisme le
plus absolu. En vérité, malgré vos affirma-
tions, la justice n'est plus en cause. Ce qui
est en cause, c'est un mythe prodigieux de
divinisation de l'homme, de domination,
d'unification de l'univers par les seuls pouvoirs de la raison humaine. Ce qui est en
cause, c'est la conquête de la totalité, et la
Russie croit être l'instrument de ce messianisme sans Dieu. Que pèsent la justice, la vie
de quelques générations, la douleur humaine,
auprès de ce mysticisme démesuré ? Rien, à
proprement parler. Quelques intelligences aux
formidables ambitions mènent une armée de
croyants vers une terre sainte imaginaire.
Pendant un quart de siècle, les marxistes ont
vraiment conduit le monde. Mais ils avaient
alors les yeux ouverts. Ils le conduisent toujours par la force de l'élan, mais en tenant
désormais les yeux fermés. S'ils ne les ouvrent
pas à temps, ils se briseront au pied d'un mur
d'orgueil et des millions d'hommes paieront
le prix de cette superbe. Toute idée fausse finit
dans le sang, mais il s'agit toujours du sang

des autres. C'est ce qui explique que certains de nos philosophes se sentent à l'aise pour dire n'importe quoi.

Désespérant de la justice immédiate, les marxistes qui se disent orthodoxes ont choisi de dominer le monde au nom d'une justice future. D'une certaine manière, ils ne sont plus sur cette terre, malgré les apparences. Ils sont dans la logique Et c'est au nom de la logique, que pour la première fois dans l'histoire intellectuelle de la France, des écrivains d'avant-garde ont appliqué leur intelligence à justifier les fusilleurs, quitte à protester ensuite au nom d'une catégorie bien déterminée de fusillés. Il y a fallu beaucoup de philosophie, mais on y est arrivé, la philosophie ne coûte rien. C'est que l'histoire intellectuelle n'a plus de sens. Il s'agit d'histoire religieuse et les inquisitions, si on les en croit, n'ont jamais supplicié les hommes que pour leur vrai bonheur. J'ignore si vous en êtes arrivé là. Mais je veux cependant vous dire, parce que cela est vrai, que vous avez choisi la vocation meurtrière de l'intelligence et que vous l'avez choisie par une curieuse sorte de désespoir et de résignation.

Ces perspectives vous paraîtront peut-être démesurées. Elles sont pourtant les vraies et l'histoire d'aujourd'hui n'est si sanglante que parce que l'intelligence européenne, trahissant son héritage et sa vocation, a choisi la démesure, par goût du pathétique et de l'exaltation. Il faut partir de ces perspectives pour rester dans la vérité du moment. Ce sont elles en tout cas qui me permettront, pour finir, de répondre à la seule partie de votre article que je ne puisse accepter. Vous me menacez d'une complicité inconsciente ou objective avec la société bourgeoise. J'ai répondu en partie à cette menace. Mais ce serait peu de dire que je vous refuse le droit de formuler cette accusation. Je vous refuse le droit de vous croire vous-même les mains nettes. Nous sommes dans un nœud de l'histoire où la complicité est totale. Et non seulement vous n'échappez pas à cette servitude, mais vous ne faites aucun effort pour y échapper. Mon seul avantage sur vous est que, de mon côté, j'aurai fait cet effort et j'aurai plaidé, comme je le devais, au nom de mon métier et au nom de tous les miens, pour que diminue *dès maintenant* l'atroce douleur des hommes.

Quand vous aurez terminé cette réponse, au contraire, je voudrais seulement que vous vous demandiez de quoi, objectivement, vous vous êtes fait le complice consentant. Vous apercevrez peut-être alors cette tache de sang

intellectuelle dont Lautréamont disait que
toute l'eau de la mer ne suffirait pas à la laver.
Rassurez-vous, Lautréamont était poète. Et à
défaut de l'eau de la mer, quelque chose
pourra toujours vous laver : un aveu sincère
d'ignorance. Ceux qui prétendent tout savoir
et tout régler finissent par tout tuer. Un jour
vient où ils n'ont pas d'autre règle que le
meurtre, d'autre science que la pauvre scolas-
tique qui, de tout temps, servit à justifier le
meurtre. Et ils n'ont point d'autre issue, sinon de reconnaître précisément qu'ils ne savent pas tout. Que certains d'entre nous disent
leur ignorance sur deux ou trois points,
comme je l'ai fait, et vous pouvez en tirer
avantage. Mais c'est l'avantage dont vivent
tous les coupables jusqu'au moment de l'aveu.
J'attendrai donc qu'une modestie vous vienne.
Et d'ici là, c'est ma propre ignorance qui
m'empêchera toujours de vous condamner
absolument. Comment le pourrais-je d'ailleurs ? Ce qui peut vous arriver de pire est de
voir triompher ce que vous avez essayé de
défendre devant moi. Car, ce jour-là, vous
aurez raison sans doute, au sens où ce monde
misérable l'entend. Mais vous aurez raison au
milieu du silence et des charniers. C'est une
victoire que je ne vous envierai jamais.

———

DEUXIÈME RÉPONSE

(*La Gauche*, octobre 1948.)

Ma seconde réponse sera la dernière. Il y a dans votre long article [1] un ton qui me force à abréger. Mais je vous dois encore quelques éclaircissements :

1° J'ai été contraint de vous signaler que je suis né dans une famille ouvrière. Ce n'est pas un argument (je n'en ai jamais usé jusqu'ici). C'est une rectification. Tant de fois, la feuille où vous m'avez répondu et celles qui essayent de rivaliser avec elle dans le mensonge, m'ont présenté comme fils de bourgeois, qu'il faut bien, *une fois au moins,* que je rappelle que la plupart d'entre vous, intellectuels communistes, n'ont aucune expérience de la condition prolétarienne et que vous êtes mal venus de nous traiter de rêveurs ignorants des réalités. Ce n'est pas moi qui suis en cause, c'est un argument de polémique générale dont il faut faire justice une bonne fois. Votre pudeur a donc eu tort de s'en offenser.

2° Il y aurait eu et il y a de l'impudeur au

---

1. Dans le journal *Action.*

contraire à étaler ses services dans la résistance. On n'a pas le mérite de sa naissance,
on a celui de ses actions. Mais il faut savoir se
taire sur elles pour que le mérite soit entier.
Pour être plus bref, le genre ancien combat-
tant n'est pas le mien. Je ne vous suivrai donc
pas dans la comparaison que vous faites entre
nous. Je la trouve légèrement calomnieuse,
bien entendu, mais vous n'attendez pas que je
me justifie. Pour vous mettre à l'aise, au contraire, je ne ferai pas de difficulté à vous laisser le grade supérieur dans une aventure où
vous me permettrez cependant de me reconnaître celui de 2ᵉ classe qui a toujours été le
mien.

Mais, dans tous les cas, ne faites pas semblant de croire qu'en écrivant que « j'avais
horreur de ceux dont les paroles vont plus
loin que les actes », j'aie voulu contester votre
action. Encore une fois, c'est un argument
dont je suis incapable. Et le contexte de la
phrase le prouve bien. Elle signifie seulement,
et c'est assez, que j'ai horreur de ces intellectuels et de ces journalistes, avec qui vous vous
solidarisez, qui demandent ou approuvent des
exécutions capitales, mais qui comptent sur
d'autres pour faire la besogne.

3° Il n'y avait pas d'équivoque à vous faire
dire ce que disent vos amis communistes. Il

y en avait si peu que vous écrivez : « J'admets ma complicité avec le Parti communiste français. »

4° Je n'ai pas d'estime pour la façon dont vous répondez à ma question sur le droit d'opposition. « Avouez, vous disais-je, que, dans votre système, un ouvrier opposant ne s'imagine pas plus qu'un intellectuel dissident. » Vous savez bien que cela est vrai, et la simple honnêteté commandait votre aveu. Vous me répondez au contraire que la notion d'opposition n'est pas claire. Il faut croire qu'il est bien difficile de contester publiquement à un ouvrier son pouvoir d'opposition et je me réjouis de l'hommage indirect que vous rendez ainsi au prolétaire français. Mais il n'empêche que cette réponse est une duperie. On vient d'exécuter en Roumanie sept oppositionnels sous l'étiquette, déjà connue, de « terroristes ». Essayez donc d'expliquer à leur famille, à leurs amis, aux hommes libres qui ont appris la nouvelle, que la notion d'opposition n'est pas bien définie en Roumanie.

5° Puisque vous y tenez, et sans m'étendre autant que je le voudrais, je vais vous donner un bon exemple de violence légitimée : les camps de concentration et l'utilisation comme main-d'œuvre des déportés politiques. Les camps faisaient partie de l'appareil d'Etat, en

Allemagne. Ils font partie de l'appareil d'Etat, en Russie soviétique, vous ne pouvez l'ignorer. Dans ce dernier cas, ils sont justifiés, paraît-il, par la nécessité historique. Ce que j'ai voulu dire est assez simple. Les camps ne me paraissent avoir aucune des excuses que peuvent présenter les violences provisoires d'une insurrection. Il n'y a pas de raison au monde, historique ou non, progressive ou réactionnaire, qui puisse me faire accepter le fait concentrationnaire. J'ai simplement proposé que les socialistes refusent d'avance et en toutes occasions, le camp de concentration comme moyen de gouvernement. Sur ce point, vous avez la parole [1].

6° Je continue à penser que ce que nous avons entendu jusqu'ici par révolution ne peut triompher aujourd'hui que par les voies de la guerre. Vous me donnez la Tchécoslovaquie en exemple. Ce que vous appelez la révolution de Prague est d'abord un alignement de politique étrangère qui nous a rapprochés considérablement de la guerre. Elle justifie mon point de vue. Entre temps, l'aventure yougoslave vous aura sans doute éclairé sur les possibilités que gardent Gottwald et les dirigeants tchèques de faire passer au premier

[1]. Cette proposition est restée sans réponse.

plan des questions qui soient purement intérieures.

La seule chose qui me touche, parce qu'elle
est humaine et vraie, dans votre réponse sur
ce point, c'est l'impossibilité où vous vous
sentez de céder au chantage de la guerre. Ne
me croyez pas tout à fait aveugle sur ce point :
j'y ai réfléchi. Mais il y a aussi un chantage à
la révolution qu'on se fait souvent à soi-même.
Je propose de ne pas appuyer la surenchère
réciproque à laquelle se livrent les deux empires. La bonne manière de ne pas céder au
chantage n'est ni dans le défaitisme, ni dans
l'obstination aveugle. Elle est dans la lutte
contre la guerre et pour l'organisation internationale. Au bout de ce long effort, le mot
de révolution reprendra son sens. Mais pas
avant. C'est pourquoi je continue de considérer que seuls les mouvements pour la paix et
les conceptions fédéralistes résistent efficacement à ce chantage. Et quand vous ironiserez
à nouveau, avec quelques autres, sur des buts
si lointains, je vous laisserai dire : on ne nous
a rien offert d'autre à choisir, sinon un faux
libéralisme dont nous avons le dégoût et le
socialisme concentrationnaire dont vous vous
faites le serviteur. L'espoir est de notre côté,
quoi que vous en ayez.

7° Je reprendrai enfin la proposition que
vous me faites. Vous croyez m'embarrasser en
m'invitant à envoyer une lettre ouverte à la
presse américaine pour protester contre la
complicité directe ou indirecte des Etats-Unis
dans les récentes exécutions grecques. Ceci me
console un peu, car c'est la preuve que vous
ignorez ma véritable position. Vous ne pouvez
pas savoir d'ailleurs que j'ai pris parti sur ce
cas précis en Angleterre, il y a quelques se-
maines, et, sur des cas semblables, en Amérique, il y a deux ans, au cours de conférences
publiques. C'est pourquoi je ne vais pas avoir
de peine à vous répondre : je tiens cette lettre
à votre disposition. J'y ajouterai une protestation motivée sur ce qui est le vrai crime
contre la conscience européenne : le maintien
de Franco en Espagne. Je vous donne carte
blanche pour la publication de cette lettre, à
une seule condition que vous estimerez légitime, je l'espère. Vous écrirez de votre côté
une lettre ouverte, non pas à la presse soviétique qui, elle, ne la publierait pas, mais à la
presse française. Vous y prendrez position
contre le système concentrationnaire et l'utilisation de la main-d'œuvre de déportés. Par
esprit de réciprocité, vous demanderez en
même temps la libération inconditionnelle de
ces républicains espagnols, encore internés en

Russie soviétique, et dont votre camarade
Courtade a cru pouvoir se faire l'insulteur,
oublieux de ce que demeurent ces hommes
pour nous tous, et ignorant sans doute qu'il
n'est pas digne de lacer leurs souliers. Rien
de tout cela, il me semble, n'est incompatible
avec la vocation révolutionnaire dont vous
vous prévalez. Et nous saurons alors si ce dialogue a été inutile ou non. J'aurais en effet
dénoncé les maux qui vous indignent et vous
n'aurez payé cette satisfaction que par la dénonciation de maux qui doivent vous révolter
au moins autant[1].

Car je veux croire encore qu'ils vous révol-
tent. Et avant d'en finir avec cette polémique,
je ferai la seule chose que je puisse faire maintenant pour vous : je ne vous croirai pas. Je
ne vous croirai pas lorsque vous dites que si
les charniers revenaient malgré vous, vous
aimeriez mieux avoir raison parmi eux que
d'avoir tort. C'est une manière pourtant de
ratifier ce que je vous ai dit dans ma première
réponse. Mais je préfère m'être trompé. Car
il faut, pour afficher une si affreuse prétention, ou beaucoup d'orgueil ou peu d'imagination. Beaucoup d'orgueil en effet. Car c'est
affirmer que la raison historique que vous

---

1. Cette proposition est restée sans réponse.

avez choisi de servir vous paraît la seule bonne
et que l'humanité ne peut être sauvée par
rien d'autre. Votre raison ou les charniers,
voilà l'avenir que vous tracez. Décidément,
je suis plus optimiste que vous et je mettrai
en cause votre imagination.

Je vais conclure. Vous dédaignez beaucoup
de choses dans votre longue réponse. J'accepte, pour ma part, quelques-uns de vos dédains. Mon rôle, je le reconnais, n'est pas de
transformer le monde, ni l'homme : je n'ai
pas assez de vertus, ni de lumières pour cela.
Mais il est, peut-être, de servir, à ma place,
les quelques valeurs sans lesquelles un monde,
même transformé, ne vaut pas la peine d'être
vécu, sans lesquelles un homme, même nouveau, ne vaudra pas d'être respecté. C'est là
ce que je veux vous dire avant de vous quitter : vous ne pouvez pas vous passer de ces
valeurs, et vous les retrouverez, croyant les re-
créer. On ne vit pas que de lutte et de haine.
On ne meurt pas toujours les armes à la main.
Il y a l'histoire et il y a autre chose, le simple
bonheur, la passion des êtres, la beauté natu-
relle. Ce sont là aussi des racines, que l'histoire ignore, et l'Europe parce qu'elle les a
perdues, est aujourd'hui un désert.

Je vous ai concédé que les marxistes ont

parfois la mauvaise conscience des libéraux, qui en ont bien besoin. Mais les marxistes n'ont-ils pas besoin de mauvaise conscience ? S'ils n'en ont pas besoin, personne au monde ne peut rien pour eux et nous connaîtrons ensemble, pour finir, une défaite que toute l'Europe paiera du sang qui lui reste. S'ils en ont besoin, qui la leur donnera sinon ces quelques hommes qui, sans se séparer de l'histoire, conscients de leurs limites, cherchent à formuler comme ils le peuvent le malheur et l'espoir de l'Europe. Solitaires ! direz-vous avec mépris. Peut-être, pour le moment. Mais vous seriez bien seuls sans ces solitaires.

L'INCROYANT ET LES CHRÉTIENS

(Fragments d'un exposé fait au couvent
des dominicains de Latour-Maubourg en 1948.)

Puisque vous avez bien voulu demander à
un homme qui ne partage pas vos convictions
de venir répondre à la question très générale
que vous posez au cours de ces entretiens —
avant de vous dire ce qu'il me semble que les
incroyants attendent des chrétiens — je voudrais tout de suite reconnaître cette générosité
d'esprit par l'affirmation de quelques principes.

Il y a d'abord un pharisaïsme laïque auquel
je m'efforcerai de ne pas céder. J'appelle pharisien laïque celui qui feint de croire que le
christianisme est chose facile, et qui fait mine
d'exiger du chrétien, au nom d'un christianisme vu de l'extérieur, plus qu'il n'exige de
lui-même. Je crois en effet que le chrétien a
beaucoup d'obligations, mais que ce n'est pas

à celui qui les rejette lui-même d'en rappeler
l'existence à celui qui les a déjà reconnues. Si
quelqu'un peut exiger quelque chose du chrétien, c'est le chrétien lui-même. La conclusion
est que si je me permettais, à la fin de cet
exposé, de revendiquer de vous quelques devoirs, il ne pourrait s'agir que des devoirs
qu'il est nécessaire d'exiger de tout homme
aujourd'hui, qu'il soit chrétien ou qu'il ne le
soit pas.

En second lieu, je veux déclarer encore que,
ne me sentant en possession d'aucune vérité
absolue et d'aucun message, je ne partirai
jamais du principe que la vérité chrétienne
est illusoire, mais seulement de ce fait que je
n'ai pu y entrer. Pour illustrer cette position,
j'avouerai volontiers ceci : Il y a trois ans,
une controverse m'a opposé à l'un d'entre
vous et non des moindres. La fièvre de ces
années, le souvenir difficile de deux ou trois
amis assassinés, m'avaient donné cette prétention. Je puis témoigner cependant que,
malgré quelques excès de langage venus de
François Mauriac, je n'ai jamais cessé de mé-
diter ce qu'il disait. Au bout de cette réflexion, et je vous donne ainsi mon opinion
sur l'utilité du dialogue croyant-incroyant,
j'en suis venu à reconnaître en moi-même, et
publiquement ici, que, pour le fond, et sur le

point précis de notre controverse, M. François Mauriac avait raison contre moi.

Ceci dit, il me sera plus facile de poser mon troisième et dernier principe. Il est simple et clair. Je n'essaierai pas de modifier rien de ce que je pense ni rien de ce que vous pensez (pour autant que je puisse en juger) afin d'obtenir une conciliation qui nous serait agréable à tous. Au contraire, ce que j'ai envie de vous dire aujourd'hui, c'est que le monde a besoin de vrai dialogue, que le contraire du dialogue est aussi bien le mensonge que le silence, et qu'il n'y a donc de dialogue possible qu'entre des gens qui restent ce qu'ils sont et qui parlent vrai. Cela revient à dire que le monde d'aujourd'hui réclame des chrétiens qu'ils restent des chrétiens. L'autre jour, à la Sorbonne, s'adressant à un conférencier marxiste, un prêtre catholique disait en public que, lui aussi, était anticlérical. Eh bien ! je n'aime pas les prêtres qui sont anticléricaux pas plus que les philosophies qui ont honte d'elles-mêmes. Je n'essaierai donc pas pour ma part de me faire chrétien devant vous. Je partage avec vous la même horreur du mal. Mais je ne partage pas votre espoir et je continue à lutter contre cet univers où des enfants souffrent et meurent.

. . . .

Et pourquoi ici ne le dirais-je pas comme je
l'ai écrit ailleurs ? J'ai longtemps attendu pendant ces années épouvantables qu'une grande
voix s'élevât à Rome. Moi incroyant ? Justement. Car je savais que l'esprit se perdrait
s'il ne poussait pas devant la force le cri de
la condamation. Il paraît que cette voix s'est
élevée. Mais je vous jure que des millions
d'hommes avec moi ne l'avons pas entendue
et qu'il y avait alors dans tous les cœurs,
croyants ou incroyants, une solitude qui n'a
pas cessé de s'étendre à mesure que les jours
passaient et que les bourreaux se multi-
pliaient.

On m'a expliqué depuis que la condamnation avait bel et bien été portée. Mais qu'elle
l'avait été dans le langage des encycliques qui
n'est point clair. La condamnation avait été
portée et elle n'avait pas été comprise ! Qui
ne sentirait ici où est la vraie condamnation
et qui ne verrait que cet exemple apporte en
lui-même un des éléments de la réponse, peut-
être la réponse tout entière que vous me de-
mandez. Ce que le monde attend des chrétiens
est que les chrétiens parlent, à haute et claire
voix, et qu'ils portent leur condamnation de
telle façon que jamais le doute, jamais un seul
doute, ne puisse se lever dans le cœur de
l'homme le plus simple. C'est qu'ils sortent

de l'abstraction et qu'ils se mettent en face
de la figure ensanglantée qu'a prise l'histoire
d'aujourd'hui. Le rassemblement dont nous
avons besoin est un rassemblement d'hommes décidés à parler clair et à payer de leur
personne. Quand un évêque espagnol bénit
des exécutions politiques, il n'est plus un
évêque ni un chrétien et pas même un
homme, il est un chien, tout comme celui
qui du haut d'une idéologie commande cette
exécution sans faire lui-même le travail. Nous
attendons et j'attends que se rassemblent ceux
qui ne veulent pas être des chiens et qui sont
décidés à payer le prix qu'il faut payer pour
que l'homme soit quelque chose de plus que
le chien.

. . . .

Et maintenant que peuvent faire les chrétiens pour nous ?

D'abord en finir avec les vaines querelles
dont la première est celle du pessimisme. Je
crois par exemple que M. Gabriel Marcel aurait
avantage à laisser la paix à des formes de
pensée qui le passionnent en l'égarant.
M. Marcel ne peut pas se dire démocrate et
demander en même temps l'interdiction de la
pièce de Sartre. C'est une position fatigante
pour tout le monde. C'est que M. Marcel veut
défendre des valeurs absolues, comme la pu-

deur et la vérité divine de l'homme, alors
qu'il s'agit de défendre les quelques valeurs
provisoires qui permettront à M. Marcel de
continuer à lutter un jour, et à son aise, pour
ces valeurs absolues...

De quel droit d'ailleurs un chrétien ou un
marxiste m'accuserait-il par exemple de pessimisme. Ce n'est pas moi qui ai inventé la
misère de la créature, ni les terribles formules
de la malédiction divine. Ce n'est pas moi qui
ai crié ce *Nemo bonus*, ni la damnation des
enfants sans baptême. Ce n'est pas moi qui
ai dit que l'homme était incapable de se sauver tout seul et que du fond de son abaisse-
ment il n'avait d'espérance que dans la grâce
de Dieu. Quant au fameux optimisme
marxiste ! Personne n'a poussé plus loin la
méfiance à l'égard de l'homme et finalement
les fatalités économiques de cet univers apparaissent plus terribles que les caprices divins.

Les chrétiens et les communistes me diront
que leur optimisme est à plus longue portée,
qu'il est supérieur à tout le reste et que Dieu
ou l'histoire, selon les cas, sont les aboutis-
sants satisfaisants de leur dialectique. J'ai le
même raisonnement à faire. Si le christianisme est pessimiste quant à l'homme, il est
optimiste quant à la destinée humaine. Eh
bien ! je dirai que pessimiste quant à la des-

tinée humaine, je suis optimiste quant à l'homme. Et non pas au nom d'un humanisme qui m'a toujours paru court, mais au nom d'une ignorance qui essaie de ne rien nier.

Cela signifie donc que les mots pessimisme et optimisme ont besoin d'être précisés et qu'en attendant de pouvoir le faire, nous devons reconnaître ce qui nous rassemble plutôt que ce qui nous sépare.

. . . .

C'est là, je crois, tout ce que j'avais à dire. Nous sommes devant le mal. Et pour moi il est vrai que je me sens un peu comme cet Augustin d'avant le christianisme qui disait : « Je cherchais d'où vient le mal et je n'en sortais pas. » Mais il est vrai aussi que je sais, avec quelques autres, ce qu'il faut faire, sinon pour diminuer le mal, du moins pour ne pas y ajouter. Nous ne pouvons pas empêcher peut-être que cette création soit celle où des enfants sont torturés. Mais nous pouvons diminuer le nombre des enfants torturés. Et si vous ne nous y aidez pas, qui donc dans le monde pourra nous y aider ?

Entre les forces de la terreur et celles du dialogue, un grand combat inégal est commencé. Je n'ai que des illusions raisonnables sur l'issue de ce combat. Mais je crois qu'il

faut le mener et je sais que des hommes, du
moins, y sont décidés. Je crains simplement
qu'ils se sentent parfois un peu seuls, qu'ils
le soient en effet, et qu'à deux millénaires
d'intervalle nous risquions d'assister au sacrifice plusieurs fois répété de Socrate. Le programme pour demain est la cité du dialogue,
ou la mise à mort solennelle et significative
des témoins du dialogue. Après avoir apporté
ma réponse, la question que je pose à mon
tour aux chrétiens est celle-ci : « Socrate sera-
t-il encore seul et n'y a-t-il rien en lui et dans
votre doctrine qui vous pousse à nous rejoindre ? »

Il se peut, je le sais bien, que le christianisme réponde négativement. Oh ! non par
vos bouches, je le crois. Mais il se peut, et
c'est encore le plus probable, qu'il s'obstine
dans le compromis, ou bien à donner aux
condamnations la forme obscure de l'ency-
clique. Il se peut qu'il s'obstine à se laisser
arracher définitivement la vertu de révolte et
d'indignation qui lui a appartenu, voici bien
longtemps. Alors les chrétiens vivront et le
christianisme mourra. Alors ce seront les
autres en effet qui paieront le sacrifice. C'est
un avenir en tout cas qu'il ne m'appartient
pas de décider malgré tout ce qu'il remue en
moi d'espérance et d'angoisses. Je ne puis

parler que de ce que je sais. Et ce que je sais, et qui fait parfois ma nostalgie, c'est que si les chrétiens s'y décidaient, des millions de voix, des millions vous entendez, s'ajouteraient dans le monde au cri d'une poignée de solitaires, qui sans foi ni loi, plaident aujourd'hui un peu partout et sans relâche, pour les enfants et pour les hommes.

TROIS INTERVIEWS

I

(Cette interview a été publiée par Emile Simon dans la *Reine du Caire*, en 1948. Les longues et pertinentes questions d'Emile Simon ont été ici abrégées sans être déformées.)

... Ne pensez-vous pas qu'on pourrait fonder une très pure morale sur cette idée de bonheur, fâcheusement confondue dans l'esprit de certains avec le laisser-aller, le plaisir, la vie facile ? Le bonheur est pourtant une vertu très haute et fort malaisée à conquérir, (quoi de plus rare d'ailleurs qu'un homme heureux ?) ...

« Oui, pour le bonheur. Mais sans exclusive. L'erreur vient toujours d'une exclusion, dit Pascal. Si on ne recherche que le bonheur, on aboutit à la facilité. Si on ne cultive que le malheur, on débouche dans la complaisance. Dans les deux cas, une dévaluation. Les Grecs savaient qu'il y a une part d'ombre et une part de lumière. Aujourd'hui, nous ne voyons

plus que l'ombre et le travail de ceux qui ne
veulent pas désespérer est de rappeler la lumière, les midis de la vie. Mais c'est une question de stratégie. Dans tous les cas, ce à quoi
il faut tendre, ce n'est pas à l'achèvement,
mais à l'équilibre et à la maîtrise. »

*... N'est-il pas permis d'induire que cette
souffrance des enfants — combien inutile,
combien monstrueuse et injustifiable — est
l'une de ces évidences qui vous conduisent à
refuser de croire en ce que les chrétiens appellent la Providence Divine, qui vous amènent à considérer la Création comme une
grande œuvre manquée ?*

*A cette souffrance, le Chrétien ne peut guère
opposer qu'un acte de foi. ... Mais cet acte
de foi du chrétien, cette soumission de la raison à l'injustice la plus scandaleuse, n'est
qu'une démission et qu'un acte de fuite. C'est
pour se sauver lui-même que le Chrétien accepte ici de croire, pour sauver la paix de son
âme.*

*La seule attitude digne de l'homme est celle
du Dr Rieux qui refuse même en esprit de
pactiser avec le mal et met en œuvre toutes les
ressources de son intelligence et de son cœur
pour chasser la souffrance hors des domaines
de l'homme.*

N'est-ce pas le fond de votre pensée?

« L'obstacle infranchissable me paraît être en effet le problème du mal. Mais c'est aussi un obstacle réel pour l'humanisme traditionnel. Il y a la mort des enfants qui signifie l'arbitraire divin, mais il y a aussi le meurtre des enfants qui traduit l'arbitraire humain. Nous sommes coincés entre deux arbitraires. Ma position personnelle, pour autant qu'elle puisse être défendue, est d'estimer que si les hommes ne sont pas innocents, ils ne sont coupables que d'ignorance. Ceci serait à développer.

« Mais je réfléchirais avant de dire comme vous que la foi chrétienne est une démission. Peut-on écrire ce mot pour un saint Augustin ou un Pascal ? L'honnêteté consiste à juger une doctrine par ses sommets, non par ses sous-produits. Et, du reste, bien que je sache peu sur ces choses, j'ai l'impression que la foi est moins une paix qu'une espérance tragique.

« Ceci dit, je ne suis pas chrétien. Je suis né pauvre, sous un ciel heureux, dans une nature avec laquelle on sent un accord, non une hostilité. Je n'ai donc pas commencé par le déchirement, mais par la plénitude. Ensuite... Mais je me sens un cœur grec. Et qu'y a-t-il donc dans l'esprit grec que le christianisme

ne puisse admettre ? Beaucoup de choses, mais
ceci en particulier : les Grecs ne niaient pas
les dieux, mais *ils leur mesuraient leur part.*
Le christianisme qui est une religion *totale*,
pour employer un mot à la mode, ne peut
admettre cet esprit où l'on fait seulement la
part de ce qui doit, à son sens, avoir toute la
place. Mais cet esprit-là peut très bien admettre, au contraire, l'existence du christianisme.
N'importe quel chrétien intelligent vous dira
qu'à ce compte, il préférerait le marxisme, si
seulement le marxisme le voulait bien.

« Ceci pour la doctrine. Reste l'Eglise. Mais
je prendrai l'Eglise au sérieux quand ses chefs
spirituels parleront le langage de tout le
monde et vivront eux-mêmes la vie dange-
reuse et misérable qui est celle du plus grand
nombre. »

*Pour un écrivain, le simple fait d'écrire ou
de créer suffit-il à exorciser l'absurde, à maintenir en suspens le rocher de Sisyphe prêt à
l'écraser ? Croyez-vous à une vertu transcen-
dante de l'acte d'écrire ?*

« La révolte humaine a deux expressions
qui sont la création et l'action révolutionnaire.
En lui, et hors de lui, l'homme ne peut ren-
contrer au départ que le désordre et l'absence
d'unité. C'est à lui qu'il revient de mettre

autant d'ordre qu'il le peut dans une condition qui n'en a pas. Mais ceci nous entraînerait trop loin. »

Ne croyez-vous pas que ce qui aiguise en nous le sens de l'absurde, ce qui aggrave l'incohérence de nos destins, ce soient précisément les terribles événements que nous vivons ?...

« Le sentiment du tragique qui court à travers notre littérature ne date pas d'hier. Il a couru à travers toutes les littératures depuis qu'il en existe. Mais c'est vrai que la situation historique lui donne aujourd'hui son acuité. C'est que la situation historique suppose aujourd'hui la société universelle. Demain Hegel recevra sa confirmation ou le démenti le plus sanglant qu'on puisse imaginer. L'événement aujourd'hui ne met donc pas en question telle existence nationale ou tel destin individuel, mais la condition humaine tout entière. Nous sommes à la veille du jugement, mais il s'agit d'un jugement ou l'homme se jugera lui-même. Voilà pourquoi chacun est séparé, isolé dans ses pensées, comme chacun est inculpé d'une certaine manière. Mais la vérité n'est pas dans la séparation. Elle est dans la réunion. »

*Les meilleurs parmi les écrivains d'aujour-
d'hui sont unanimement coalisés pour défendre ce qu'ils appellent, ce que nous appelons,
les libertés et les droits de l'individu.*

*... Peut-être en les défendant dans l'absolu
et dans l'abstrait comme nous faisons, som-
mes-nous en réalité prisonniers sans le savoir
des formes anachroniques et périmées que ces
valeurs ont revêtues.*

*... Il a existé des époques, et peut-être som-
mes-nous à la veille d'en connaître une autre,
où la grandeur d'un écrivain est en rapport
direct avec la force de son adhésion au milieu
social, avec sa puissance représentative. C'est
seulement dans une société en voie de désa-
grégation que la vertu d'un écrivain est en
rapport avec sa capacité de dissidence.*

« Quand on défend une liberté, on la défend toujours dans l'abstrait jusqu'au moment
où il faut payer. Je n'ai pas le goût de la dissidence pour la dissidence. Mais ce que vous
dites justifierait, par exemple, un écrivain
nationaliste allemand écrivant les *Nibelungen*
dans un pays où Hitler aurait triomphé. Les
Nibelungen seraient ainsi bâtis sur les os de
millions d'êtres assassinés. Ai-je besoin de
vous dire que c'est là un accord que j'estime
trop cher ?

« Par rapport à quoi la liberté réclamée par

l'écrivain vous paraît-elle abstraite ? Par rapport à la revendication sociale. Mais cette
revendication n'aurait aujourd'hui aucun
contenu si la liberté d'expression n'avait été
conquise au long des siècles. La justice suppose des droits. Les droits supposent la liberté
de les défendre. Pour agir, l'homme doit parler. Nous savons ce que nous défendons. Et
puis, chacun parle au nom d'un accord. Tout
non suppose un *oui*. Je parle au nom d'une
société qui n'impose pas le silence, que ce soit
par l'oppression économique ou l'oppression
policière. »

*La société communiste — la société sovié-
tique, plus précisément — refuse à l'écrivain
la permission de s'absorber dans la recherche
de ce que nous appelons les valeurs d'art.*

*Quelques-uns parmi les artistes ou les écri-
vains français d'aujourd'hui se sont associés à
cette manière de voir.*

*Ne pensez-vous pas qu'ils mettent la culture
en péril, faute d'avoir seulement compris en
quoi réside la vertu essentielle de l'œuvre
d'art ?*

« C'est un faux problème. Il n'y a pas d'art
réaliste. (Même la photographie n'est pas réaliste : elle choisit.) Et les écrivains dont vous
parlez utilisent, quoi qu'ils en disent, les va-

leurs de l'art. A partir du moment où il écrit
autre chose qu'un tract un écrivain communiste est un artiste et il lui est impossible, par
là, de jamais coïncider *parfaitement* avec une
théorie ou une propagande. C'est pourquoi on
ne dirige pas la littérature, on la supprime
tout au plus. La Russie ne l'a pas supprimée.
Elle a cru pouvoir se servir de ses écrivains.
Mais ces écrivains, même de bonne volonté,
seront toujours des hérétiques par leur fonction même. Ce que je dis se voit assez bien
dans les récits d'épuration littéraire. C'est
pourquoi ces écrivains ne mettent pas la culture en péril, comme vous dites. C'est la culture qui les met en péril. Et je le dis sans
ironie, comme devant une absurde cruci-
fixion et avec le sentiment d'une solidarité
forcée. »

———

II

DIALOGUE POUR LE DIALOGUE

(*Défense de l'Homme*, juillet 1949.)

— L'avenir est bien sombre.
— Pourquoi ; Il n'y a rien à craindre, puisque désormais nous nous sommes mis en

règle avec le pire. Il n'y a donc plus que des raisons d'espérer, et de lutter.

— Avec qui ?

— Pour la paix.

— Pacifiste inconditionnel ?

— Jusqu'à nouvel ordre, résistant inconditionnel — et à toutes les folies qu'on nous propose.

— En somme, comme on dit, vous n'êtes pas dans le coup.

— Pas dans celui-là.

— Ce n'est pas très confortable.

— Non. J'ai essayé loyalement d'y être. En ai-je pris des airs graves ! Et puis je me suis résigné : il faut appeler criminel ce qui est criminel. Je suis dans un autre coup.

— Le non intégral.

— Le oui intégral. Naturellement, il y a des gens plus sages, qui essayent de s'arranger avec ce qui est. Je n'ai rien contre.

— Alors ?

— Alors, je suis pour la pluralité des positions. Est-ce qu'on peut faire le parti de ceux qui ne sont pas sûrs d'avoir raison ? Ce serait le mien. Dans tous les cas, je n'insulte pas ceux qui ne sont pas avec moi. C'est ma seule originalité.

— Si nous précisions ?

— Précisons. Les gouvernants d'aujour-

d'hui, russes, américains et quelquefois européens sont des criminels de guerre, selon la
définition du tribunal de Nuremberg. Toutes
les politiques intérieures qui les appuient
d'une façon ou d'une autre, toutes les églises,
spirituelles ou non, qui ne dénoncent pas la
mystification dont le monde est victime, par-
ticipent de cette culpabilité.

— Quelle mystification ?

— Celle qui veut nous faire croire que la
politique de puissance, quelle qu'elle soit,
peut nous amener à une société meilleure où
la libération sociale sera enfin réalisée. La politique de puissance signifie la préparation à
la guerre. La préparation à la guerre, et à
plus forte raison la guerre elle-même, rendent justement impossible cette libération sociale.

— Qu'avez-vous choisi ;

— Je parie pour la paix. C'est mon optimisme à moi. Mais il faut faire quelque chose
pour elle et ce sera dur. C'est là mon pessimisme. De toutes façons, seuls ont mon adhésion aujourd'hui les mouvements pour la
paix qui cherchent à se développer sur le plan
international. C'est chez eux que se trouvent
les vrais réalistes. Et je suis avec eux.

— Avez-vous pensé à Munich ?

— J'y ai pensé. Les hommes que je con-

nais n'achèteront pas la paix à n'importe quel
prix. Mais en considération du malheur qui
accompagne toute préparation à la guerre et
des désastres inimaginables qu'entraînerait
une nouvelle guerre, ils estiment qu'on ne
peut renoncer à la paix sans en avoir épuisé
toutes les chances. Et puis Munich a été déjà
signé, et par deux fois. A Yalta et à Potsdam.
Par ceux-là mêmes qui veulent absolument en
découdre aujourd'hui. Ce n'est pas nous qui
avons livré les libéraux, les socialistes et les
anarchistes des démocraties populaires de l'Est
aux tribunaux soviétiques. Ce n'est pas nous
qui avons pendu Petkov. Ce sont les signa-
taires de pactes qui consacraient le partage du
monde.

— Ces mêmes hommes vous accusent d'être
un rêveur.

— Il en faut. Et personnellement, j'accep-
terai ce rôle, n'ayant pas de goût pour le métier de tueur.

— On vous dira qu'il en faut aussi.

— Là, les candidats ne manquent pas. Des
costauds, paraît-il. Alors, on peut diviser le
travail.

. . . .

— Conclusion ?

— Les hommes dont j'ai parlé, en même
temps qu'ils travaillent pour la paix, de-

vraient faire approuver, internationalement,
un code qui préciserait ces limitations à la
violence : suppression de la peine de mort,
dénonciation des condamnations dont la durée n'est pas précisée, de la rétroactivité des
lois, et du système concentrationnaire.

— Quoi de plus ?

— Il faudrait un autre cadre pour préciser.
Mais s'il était possible déjà que ces hommes
adhèrent en masse aux mouvements pour la
paix déjà existants, travaillent à leur unification sur le plan international, rédigent et dif-
fusent par la parole et par l'exemple, le nouveau contrat social dont nous avons besoin,
je crois qu'ils seraient en règle avec la vérité.

« Si j'en avais le temps, je dirais aussi que
ces hommes devraient s'essayer à préserver dans
leur vie personnelle la part de joie qui n'appartient pas à l'histoire. On veut nous faire
croire que le monde d'aujourd'hui a besoin
d'hommes identifiés totalement à leur doctrine et poursuivant des fins définitives par la
soumission totale à leurs convictions. Je crois
que ce genre d'hommes dans l'état où est le
monde fera plus de mal que de bien. Mais en
admettant, ce que je ne crois pas, qu'ils finissent par faire triompher le bien à la fin des
temps, je crois qu'il faut qu'un autre genre
d'hommes existe, attentifs à préserver la

nuance légère, le style de vie, la chance de bonheur, l'amour, l'équilibre difficile enfin dont les enfants de ces mêmes hommes auront besoin finalement, même si la société parfaite est alors réalisée. »

———

III

(Interview non publiée.)

« ... Bien entendu, se dire révolutionnaire et refuser par ailleurs la peine de mort, la limitation des libertés et la guerre c'est ne rien dire. Ne disons donc rien, provisoirement, sinon que se dire révolutionnaire et exalter la peine de mort, la suppression des libertés et la guerre, c'est dire seulement qu'on est réactionnaire, au sens le plus objectif et le moins réconfortant de ce mot. Et c'est parce que les révolutionnaires contemporains ont accepté ce langage que nous vivons aujourd'hui universellement une histoire réactionnaire. Pour un temps encore inconnu, l'histoire est faite par des puissances de police et des puissances d'argent contre l'intérêt des peuples et la vérité de l'homme. Mais peut-être est-ce pour ces raisons que l'espoir est

permis. Puisque nous ne vivons plus les
temps révolutionnaires, apprenons au moins
à vivre le temps des révoltés. Savoir dire non,
s'efforcer chacun à notre place de créer les
valeurs vivantes dont aucune rénovation ne
pourra se passer, maintenir ce qui vaut de
l'être, préparer ce qui mérite de vivre, s'essayer au bonheur pour que le goût terrible de
la justice en soit adouci, ce sont là des motifs
de renouveau et d'espoir.

« ... Il y a un chantage, qui, désormais,
n'aura plus cours. Il y a des mystifications
que, désormais, nous dénoncerons rudement.
Nous refuserons de croire plus longtemps que
le christianisme des salons et des ministères
puisse oublier impunément le christianisme
des prisons. Mais parce que des gouvernements chrétiens ont la vocation de la complicité nous n'oublierons pas que le marxisme
est une doctrine d'accusation dont la dialectique ne triomphe que dans l'univers des procès. Et nous appellerons concentrationnaire
ce qui est concentrationnaire, même le socialisme.

« Nous savons que notre société repose sur
le mensonge. Mais la tragédie de notre génération est d'avoir vu, sous les fausses couleurs
de l'espoir, un nouveau mensonge se super-
poser à l'ancien. Du moins, rien ne nous con-

traint plus à appeler sauveurs les tyrans et à
justifier le meurtre de l'enfant par le salut de
l'homme. Nous refuserons de croire ainsi que
la justice puisse exiger, même provisoirement,
la suppression de la liberté. A les en croire,
les tyrannies sont toujours provisoires. On
nous explique qu'il y a une grande différence entre la tyrannie réactionnaire et la
tyrannie progressiste. Il y aurait ainsi des
camps de concentration qui vont dans le sens
de l'histoire et un système de travail forcé qui
suppose l'espérance. A supposer que cela fût
vrai, on pourrait au moins s'interroger sur la
durée de cet espoir. Si la tyrannie, même progressiste, dure plus d'une génération, elle
signifie pour des millions d'hommes une vie
d'esclave, et rien de plus. Quand le provisoire
couvre le temps de la vie d'un homme, il est
pour cet homme le définitif. Au reste, nous
sommes ici dans le sophisme. La justice ne va
pas sans le droit et il n'y a pas de droit sans
libre expression de ce droit. Cette justice pour
laquelle une foule d'hommes aujourd'hui
meurent ou font mourir, on ne peut en parler
avec tant de hauteur que parce qu'une poignée d'esprits libres lui ont conquis, à travers
l'histoire, le droit de s'exprimer. Je fais ici
l'apologie de ceux qu'on appelle avec mépris
des intellectuels. »

POURQUOI L'ESPAGNE ?

(Réponse à GABRIEL MARCEL)

(*Combat*, décembre 1948.)

Je ne répondrai ici qu'à deux passages de
l'article que vous avez consacré à l'*Etat de
Siège,* dans les *Nouvelles Littéraires.* Mais je
ne veux répondre en aucun cas aux critiques
que vous, ou d'autres, avez pu faire à cette
pièce, en tant qu'œuvre théâtrale. Quand on
se laisse aller à présenter un spectacle ou
à publier un livre, on se met dans le cas
d'être critiqué et l'on accepte la censure de
son temps. Quoi qu'on ait à dire, il faut alors
se taire.

Vous avez cependant dépassé vos privilèges
de critique en vous étonnant qu'une pièce sur
la tyrannie totalitaire fût située en Espagne,
alors que vous l'auriez mieux vue dans les
pays de l'Est. Et vous me rendez définitivement la parole en écrivant qu'il y a là un
manque de courage et d'honnêteté. Il est vrai
que vous êtes assez bon pour penser que je ne

15

suis pas responsable de ce choix (traduisons :
c'est le méchant Barrault, déjà si noir de cri-
mes). Le malheur est que la pièce se passe en
Espagne parce que j'ai choisi, et j'ai choisi
seul, après réflexion, qu'elle s'y passât en
effet. Je dois donc prendre sur moi vos accusations d'opportunisme et de malhonnêteté.
Vous ne vous étonnerez pas, dans ces conditions, que je me sente forcé à vous répondre.

Il est probable d'ailleurs que je ne me défen-
drais même pas contre ces accusations (devant
qui se justifier, aujourd'hui ?) si vous n'aviez
touché à un sujet aussi grave que celui de
l'Espagne. Car je n'ai vraiment aucun besoin
de dire que je n'ai cherché à flatter personne
en écrivant l'*Etat de Siège*. J'ai voulu atta-
quer de front un type de société politique
qui s'est organisé, ou s'organise, à droite et à
gauche, sur le mode totalitaire. Aucun spec-
tateur de bonne foi ne peut douter que cette
pièce prenne le parti de l'individu, de la chair
dans ce qu'elle a de noble, de l'amour ter-
restre enfin, contre les abstractions et les ter-
reurs de l'Etat totalitaire, qu'il soit russe,
allemand ou espagnol. De graves docteurs réfléchissent tous les jours sur la décadence de
notre société en y cherchant de profondes raisons. Ces raisons existent sans doute. Mais
pour les plus simples d'entre nous, le mal de

l'époque se définit par ses effets, non par ses
causes. Il s'appelle l'Etat, policier ou bureau-
cratique. Sa prolifération dans tous les pays
sous les prétextes idéologiques les plus divers,
l'insultante sécurité que lui donnent les
moyens mécaniques et psychologiques de la
répression, en font un danger mortel pour ce
qu'il y a de meilleur en chacun de nous. De
ce point de vue, la société politique contemporaine, quel que soit son contenu, est méprisable. Je n'ai rien dit d'autre, et c'est pour
cela que l'*Etat de Siège* est un acte de rup-
ture, qui ne veut rien épargner.

Ceci étant clairement dit, pourquoi l'Espagne ? Vous l'avouerai-je, j'ai un peu honte
de poser la question à votre place. Pourquoi
Guernica, Gabriel Marcel ? Pourquoi ce rendez-vous où, pour la première fois, à la face
d'un monde encore endormi dans son confort
et dans sa misérable morale, Hitler, Mussolini
et Franco ont démontré à des enfants ce qu'é-
tait la technique totalitaire. Oui, pourquoi ce
rendez-vous qui nous concernait aussi ? Pour
la première fois, les hommes de mon âge ren-
contraient l'injustice triomphante dans l'histoire. Le sang de l'innocence coulait alors au
milieu d'un grand bavardage pharisien qui,
justement, dure encore. Pourquoi l'Espagne ?

Mais parce que nous sommes quelques-uns qui ne nous laverons pas les mains de ce sang-là. Quelles que soient les raisons d'un anticommunisme, et j'en connais de bonnes, il ne se fera pas accepter de nous s'il s'abandonne à lui-même jusqu'à oublier cette injustice, qui se perpétue avec la complicité de nos gouvernements. J'ai dit aussi haut que je l'ai pu ce que je pensais des camps de concentration russes. Mais ce n'est pas cela qui me fera oublier Dachau, Buchenwald, et l'agonie sans nom de millions d'hommes, ni l'affreuse répression qui a décimé la République espagnole. Oui, malgré la commisération de nos grands politiques, c'est tout cela ensemble qu'il faut dénoncer. Et je n'excuserai pas cette peste hideuse à l'Ouest de l'Europe parce qu'elle exerce ses ravages à l'Est, sur de plus grandes étendues. Vous écrivez que pour ceux qui sont bien informés, ce n'est pas d'Espagne que leur viennent en ce moment les nouvelles les plus propres à désespérer ceux qui ont le goût de la dignité humaine. Vous êtes mal informé, Gabriel Marcel. Hier encore, cinq opposants politiques ont été là-bas condamnés à mort. Mais vous vous prépariez à être mal informé, en cultivant l'oubli. Vous avez oublié que les premières armes de la guerre totalitaire ont été trempées dans le sang espagnol.

Vous avez oublié qu'en 1936, un général re-
belle a levé, au nom du Christ, une armée de
Maures, pour les jeter contre le gouvernement
légal de la République espagnole, a fait triompher une cause injuste après d'inexpiables
massacres et commencé dès lors une atroce
répression qui a duré dix années et qui n'est
pas encore terminée. Oui, vraiment, pourquoi
l'Espagne ? Parce qu'avec beaucoup d'autres,
vous avez perdu la mémoire.

Et aussi parce qu'avec un petit nombre de
Français, il m'arrive encore de n'être pas fier
de mon pays. Je ne sache pas que la France
ait jamais livré des opposants soviétiques au
gouvernement russe. Cela viendra sans doute,
nos élites sont prêtes à tout. Mais pour l'Espagne, au contraire, nous avons déjà bien fait
les choses. En vertu de la clause la plus dés-
honorante de l'armistice, nous avons livré à
Franco, sur l'ordre de Hitler, des républicains
espagnols, et parmi eux le grand Luis Companys. Et Companys a été fusillé, au milieu
de cet affreux trafic. C'était Vichy, bien sûr,
ce n'était pas nous. Nous, nous avions placé
seulement en 1938, le poète Antonio Machado
dans un camp de concentration, d'où il ne
sortit que pour mourir. Mais en ce jour où
l'Etat français se faisait le recruteur des bourreaux totalitaires, qui a élevé la voix ? Per-

sonne. C'est sans doute, Gabriel Marcel, que ceux qui auraient pu protester, trouvaient comme vous que tout cela était peu de chose auprès de ce qu'ils détestaient le plus dans le système russe. Alors, n'est-ce pas ; un fusillé de plus ou de moins ! Mais un visage de fusillé, c'est une vilaine plaie et la gangrène finit par s'y mettre. La gangrène a gagné.

Où sont donc les assassins de Companys ? A Moscou ou dans notre pays ? Il faut répondre : dans notre pays. Il faut dire que nous avons fusillé Companys, que nous sommes responsables de ce qui a suivi. Il faut déclarer que nous en sommes humiliés et que notre seule façon de réparer sera de maintenir le souvenir d'une Espagne qui a été libre et que nous avons trahie, comme nous l'avons pu, à notre place et à notre manière, qui étaient petites. Et il est vrai qu'il n'est pas une puissance qui ne l'ait trahie, sauf l'Allemagne et l'Italie qui, elles, fusillaient les Espagnols de face. Mais ceci ne peut être une consolation et l'Espagne libre continue, par son silence, de nous demander réparation. J'ai fait ce que j'ai pu, pour ma faible part, et c'est ce qui vous scandalise. Si j'avais eu plus de talent, la réparation eût été plus grande, voilà tout ce que je puis dire. La lâcheté et la tricherie auraient

été ici de pactiser. Mais je m'arrêterai sur ce
sujet et je ferai taire mes sentiments, par égard
pour vous. Tout au plus pourrais-je encore
vous dire qu'aucun homme sensible n'aurait
dû être étonné qu'ayant à choisir de faire
parler le peuple de la chair et de la fierté pour
l'opposer à la honte et aux ombres de la dictature, j'aie choisi le peuple espagnol. Je ne
pouvais tout de même pas choisir le public
international du *Reader's Digest,* ou les lecteurs de *Samedi-Soir* et *France-Dimanche.*

Mais vous êtes sans doute pressé que je
m'explique pour finir sur le rôle que j'ai
donné à l'Eglise. Sur ce point, je serai bref.
Vous trouvez que ce rôle est odieux, alors qu'il
ne l'était pas dans mon roman. Mais je devais, dans mon roman, rendre justice à ceux
de mes amis chrétiens que j'ai rencontrés sous
l'occupation, dans un combat qui était juste.
J'avais, au contraire, dans ma pièce, à dire
quel a été le rôle de l'Eglise d'Espagne. Et si
je l'ai fait odieux, c'est qu'à la face du monde,
le rôle de l'Eglise d'Espagne a été odieux. Si
dure que cette vérité soit pour vous, vous
vous consolerez en pensant que la scène qui
vous gêne ne dure qu'une minute, tandis que
celle qui offense encore la conscience européenne dure depuis dix ans. Et l'Eglise entière aurait été mêlée à cet incroyable scan-

dale d'évêques espagnols bénissant les fusils
d'exécution, si dès les premiers jours deux
grands chrétiens, dont l'un, Bernanos, est
aujourd'hui mort, et l'autre, José Bergamin,
exilé de son pays, n'avaient élevé la voix. Bernanos n'aurait pas écrit ce que vous avez écrit
sur ce sujet. Il savait, lui, que la phrase qui
conclut ma scène : « Chrétiens d'Espagne,
vous êtes abandonnés », n'insulte pas à votre
croyance. Il savait qu'à dire autre chose, ou à
faire le silence, c'est la vérité que j'eusse alors
insultée.

Si j'avais à refaire l'*Etat de Siège*, c'est
en Espagne que je le placerais encore, voilà
ma conclusion. Et à travers l'Espagne, demain comme aujourd'hui, il serait clair pour
tout le monde, que la condamnation qui y est
portée vise toutes les sociétés totalitaires. Mais
du moins, ce n'aurait pas été au prix d'une
complicité honteuse. C'est ainsi et pas autrement, jamais autrement, que nous pourrons
garder le droit de protester contre la terreur.
Voilà pourquoi je ne puis être de votre avis
lorsque vous dites que notre accord est absolu
quant à l'ordre politique. Car vous acceptez
de faire silence sur une terreur pour mieux
en combattre une autre. Nous sommes quelques-uns qui ne voulons faire silence sur rien.

C'est notre société politique entière qui nous
fait lever le cœur. Et il n'y aura ainsi de salut
que lorsque tous ceux qui valent encore quelque chose l'auront répudiée dans son entier,
pour chercher, ailleurs que dans des contra-
dictions insolubles, le chemin de la rénovation. D'ici-là, il faut lutter. Mais en sachant
que la tyrannie totalitaire ne s'édifie pas sur
les vertus des totalitaires. Elle s'édifie sur les
fautes des libéraux. Le mot de Talleyrand est
méprisable, une faute n'est pas pire qu'un
crime. Mais la faute finit par justifier le crime
et lui donner son alibi. Elle désespère alors
les victimes, et c'est ainsi qu'elle est coupable.
C'est cela, justement, que je ne puis pardonner
à la société politique contemporaine : qu'elle
soit une machine à désespérer les hommes.

Vous trouverez sans doute que c'est là beaucoup de passion pour un petit prétexte. Alors,
laissez-moi parler, pour une fois, en mon
nom. Le monde où je vis me répugne, mais
je me sens solidaire des hommes qui y
souffrent. Il y a des ambitions qui ne sont pas
les miennes et je ne serais pas à l'aise si je
devais faire mon chemin en m'appuyant sur
les pauvres privilèges qu'on réserve à ceux
qui s'arrangent de ce monde. Mais il me semble qu'il est une autre ambition qui devrait
être celle de tous les écrivains : témoigner et

crier, chaque fois qu'il est possible, dans la
mesure de notre talent, pour ceux qui sont
asservis comme nous. C'est cette ambition-là
que vous avez mise en cause dans votre article, et je ne cesserai pas de vous en refuser le
droit aussi longtemps que le meurtre d'un
homme ne semblera vous indigner que dans
la seule mesure où cet homme partage vos
idées.

LE TÉMOIN DE LA LIBERTÉ

(Allocution prononcée à Pleyel, en novembre 1948,
à un meeting international d'écrivains, et publiée
par *La Gauche*, le 20 décembre 1948.)

Nous sommes dans un temps où les hommes, poussés par de médiocres et féroces idéologies, s'habituent à avoir honte de tout. Honte d'eux-mêmes, honte d'être heureux, d'aimer ou de créer. Un temps où Racine rougirait de *Bérénice* et où Rembrandt, pour se faire pardonner d'avoir peint la *Ronde de nuit*, courrait s'inscrire à la permanence du coin. Les écrivains et les artistes d'aujourd'hui ont ainsi la conscience souffreteuse et il est de mode parmi nous de faire excuser notre métier. A la vérité, on met quelque zèle à nous y aider. De tous les coins de notre société politique, un grand cri s'élève à notre adresse et qui nous enjoint de nous justifier. Il faut nous justifier d'être inutiles en même temps que de servir, par notre inutilité même, de vilaines causes. Et quand nous répondons

qu'il est bien difficile de se laver d'accusations aussi contradictoires, on nous dit qu'il
n'est pas possible de se justifier aux yeux de
tous, mais que nous pouvons obtenir le généreux pardon de quelques-uns, en prenant leur
parti, qui est le seul vrai d'ailleurs si on les
en croit. Si ce genre d'argument fait long
feu, on dit encore à l'artiste : « Voyez la misère du monde. Que faites-vous pour elle ? »
A ce chantage cynique, l'artiste pourrait répondre : « La misère du monde ? Je n'y ajoute
pas. Qui parmi vous peut en dire autant ? »
Mais il n'en reste pas moins vrai qu'aucun
d'entre nous, s'il a de l'exigence, ne peut rester indifférent à l'appel qui monte d'une humanité désespérée. Il faut donc se sentir coupable, à toute force. Nous voilà traînés au
confessionnal laïque, le pire de tous.

Et pourtant ce n'est pas si simple. Le choix
qu'on nous demande de faire ne va pas de lui-
même ; il est déterminé par d'autres choix,
faits antérieurement. Et le premier choix que
fait un artiste, c'est précisément d'être un artiste. Et s'il a choisi d'être un artiste, c'est en
considération de ce qu'il est lui-même et à
cause d'une certaine idée qu'il se fait de l'art.
Et si ces raisons lui ont paru assez bonnes
pour justifier son choix, il y a des chances
pour qu'elles continuent d'être assez bonnes

pour l'aider à définir sa position vis-à-vis de l'histoire. C'est là du moins ce que je pense et je voudrais me singulariser un peu, ce soir, en mettant l'accent, puisque nous parlons ici librement, à titre individuel, non sur une mauvaise conscience, que je n'éprouve pas, mais sur les deux sentiments qu'en face et à cause même de la misère du monde, je nourris à l'égard de notre métier, c'est-à-dire la reconnaissance et la fierté. Puisqu'il faut se justifier, je voudrais dire pourquoi il y a une justification à exercer, dans les limites de nos forces et de nos talents, un métier qui, au milieu d'un monde desséché par la haine, permet à chacun de nous de dire tranquillement qu'il n'est l'ennemi mortel de personne. Mais ceci demande à être expliqué et je ne puis le faire qu'en parlant un peu du monde où nous vivons, et de ce que nous autres, artistes et écrivains, sommes voués à y faire.

Le monde autour de nous est dans le malheur et on nous demande de faire quelque chose pour le changer. Mais quel est ce malheur ? A première vue, il se définit simplement : on a beaucoup tué dans le monde ces dernières années et quelques-uns prévoient qu'on tuera encore. Un si grand nombre de morts, ça finit par alourdir l'atmosphère. Naturellement, ce n'est pas nouveau. L'histoire officielle a toujours été l'histoire des grands meurtriers. Et ce n'est pas d'aujourd'hui que Caïn tue Abel. Mais c'est aujourd'hui que Caïn tue Abel au nom de la logique et réclame ensuite la Légion d'honneur. Je prendrai un exemple pour me faire mieux comprendre.

Pendant les grandes grèves de novembre 1947, les journaux annoncèrent que le bourreau de Paris cesserait aussi son travail. On n'a pas assez remarqué, à mon sens, cette décision de notre compatriote. Ses revendications étaient nettes. Il demandait naturellement une prime pour chaque exécution, ce qui est dans la règle de toute entreprise. Mais, surtout, il réclamait avec force le statut de chef de bureau. Il voulait en effet recevoir de l'Etat, qu'il avait conscience de bien servir, la seule consécration, le seul honneur tangible, qu'une nation moderne puisse offrir à ses bons serviteurs, je veux dire un statut administratif. Ainsi s'éteignait, sous le poids de l'histoire, une de nos dernières professions libérales. Car c'est bien sous le poids de l'histoire, en effet. Dans les temps barbares, une auréole terrible tenait à l'écart du monde le bourreau. Il était celui qui, par métier, attente au mystère de la vie et de la chair. Il était et il se savait un objet d'horreur. Et cette hor-

LE TÉMOIN DE LA LIBERTÉ   257

reur consacrait en même temps le prix de la
vie humaine. Aujourd'hui, il est seulement
un objet de pudeur. Et je trouve dans ces
conditions qu'il a raison de ne plus vouloir
être le parent pauvre qu'on garde à la cuisine
parce qu'il n'a pas les ongles nets. Dans une
civilisation où le meurtre et la violence sont
déjà des doctrines et sont en passe de devenir
des institutions, les bourreaux ont tout à fait
le droit d'entrer dans les cadres administra-
tifs. A vrai dire, nous autres Français sommes
un peu en retard. Un peu partout dans le
monde, les exécuteurs sont déjà installés dans
les fauteuils ministériels. Ils ont seulement
remplacé la hache par le tampon à encre.

Quand la mort devient affaire de statistiques
et d'administration, c'est en effet, que les affaires du monde ne vont pas. Mais si la mort
devient abstraite, c'est que la vie l'est aussi.
Et la vie de chacun ne peut pas être autrement
qu'abstraite à partir du moment où on s'avise
de la plier à une idéologie. Le malheur est que
nous sommes au temps des idéologies et des
idéologies totalitaires, c'est-à-dire assez sûres
d'elles-mêmes, de leur raison imbécile ou de
leur courte vérité, pour ne voir le salut du
monde que dans leur propre domination. Et
vouloir dominer quelqu'un ou quelque chose,
c'est souhaiter la stérilité, le silence ou la

17

mort de ce quelqu'un. Il suffit, pour le constater, de regarder autour de nous.

Il n'y a pas de vie sans dialogue. Et sur la
plus grande partie du monde, le dialogue est
remplacé aujourd'hui par la polémique. Le
xxᵉ siècle est le siècle de la polémique et de
l'insulte. Elle tient, entre les nations et les
individus, et au niveau même des disciplines
autrefois désintéressées, la place que tenait
traditionnellement le dialogue réfléchi. Des
milliers de voix, jour et nuit, poursuivant
chacune de son côté un tumultueux monolo-
gue, déversent sur les peuples un torrent de
paroles mystificatrices, attaques, défenses,
exaltations. Mais quel est le mécanisme de la
polémique ? Elle consiste à considérer l'adversaire en ennemi, à le simplifier par conséquent et à refuser de le voir. Celui que j'insulte, je ne connais plus la couleur de son
regard, ni s'il lui arrive de sourire et de quelle
manière. Devenus aux trois quarts aveugles
par la grâce de la polémique, nous ne vivons
plus parmi des hommes, mais dans un monde
de silhouettes.

Il n'y a pas de vie sans persuasion. Et l'histoire d'aujourd'hui ne connaît que l'intimidation. Les hommes vivent et ne peuvent
vivre que sur l'idée qu'ils ont quelque chose
en commun où ils peuvent toujours se retrou-

ver. Mais nous avons découvert ceci : il y a
des hommes qu'on ne persuade pas. Il était
et il est impossible à une victime des camps
de concentration d'expliquer à ceux qui l'avi-
lissent qu'ils ne doivent pas le faire. C'est que
ces derniers ne représentent plus des hommes,
mais une idée, portée à la température de la
plus inflexible des volontés. Celui qui veut
dominer est sourd. En face de lui, il faut se
battre ou mourir. C'est pourquoi les hommes
d'aujourd'hui vivent dans la terreur. Dans le
« Livre des morts », on lit que le juste égyp-
tien pour mériter son pardon devait pouvoir
dire : « Je n'ai causé de peur à personne. »
Dans ces conditions, on cherchera en vain nos
grands contemporains, le jour du jugement
dernier, dans la file des bienheureux.

Quoi d'étonnant à ce que ces silhouettes,
désormais sourdes et aveugles, terrorisées,
nourries de tickets, et dont la vie entière se
résume dans une fiche de police, puissent être
ensuite traitées comme des abstractions ano-
nymes. Il est intéressant de constater que les
régimes qui sont issus de ces idéologies sont
précisément ceux qui, par système, procèdent
au déracinement des populations, les prome-
nant à la surface de l'Europe comme des sym-
boles exsangues qui ne prennent une vie dérisoire que dans les chiffres des statistiques.

Depuis que ces belles philosophies sont entrées
dans l'histoire, d'énormes masses d'hommes,
dont chacun pourtant avait autrefois une manière de serrer la main, sont définitivement
ensevelis sous les deux initiales des personnes
déplacées, qu'un monde très logique a inven-
tées pour elles.

Oui, tout cela est logique. Quand on veut
unifier le monde entier au nom d'une théorie, il n'est pas d'autres voies que de rendre
ce monde aussi décharné, aveugle et sourd
que la théorie elle-même. Il n'est pas d'autres
voies que de couper les racines mêmes qui
attachent l'homme à la vie et à la nature. Et
ce n'est pas un hasard si l'on ne trouve pas
de paysages dans la grande littérature européenne depuis Dostoïevsky. Ce n'est pas un
hasard si les livres significatifs d'aujourd'hui,
au lieu de s'intéresser aux nuances du cœur
et aux vérités de l'amour, ne se passionnent
que pour les juges, les procès et la mécanique
des accusations, si au lieu d'ouvrir les fenê-
tres sur la beauté du monde, on les y referme
avec soin sur l'angoisse des solitaires. Ce n'est
pas un hasard si le philosophe qui inspire
aujourd'hui toute la pensée européenne est
celui qui a écrit que seule la ville moderne
permet à l'esprit de prendre conscience de lui-
même et qui est allé jusqu'à dire que la nature

est abstraite et que la raison seule est concrète.
C'est le point de vue de Hegel, en effet, et
c'est le point de départ d'une immense aventure de l'intelligence, celle qui finit par tuer
toutes choses. Dans le grand spectacle de la
nature, ces esprits ivres ne voient plus rien
qu'eux-mêmes. C'est l'aveuglement dernier.

Pourquoi aller plus loin ? Ceux qui connaissent les villes détruites de l'Europe savent ce
dont je parle. Elles offrent l'image de ce
monde décharné, efflanqué d'orgueil, où le
long d'une monotone apocalypse, des fantô-
mes errent à la recherche d'une amitié perdue, avec la nature et avec les êtres. Le grand
drame de l'homme d'Occident, c'est qu'entre
lui et son devenir historique, ne s'interposent
plus ni les forces de la nature ni celles de
l'amitié. Ses racines coupées, ses bras dessé-
chés, il se confond déjà avec les potences qui
lui sont promises. Mais du moins, arrivé à ce
comble de déraison, rien ne doit nous empêcher de dénoncer la duperie de ce siècle qui
fait mine de courir après l'empire de la raison, alors qu'il ne cherche que les raisons
d'aimer qu'il a perdues. Et nos écrivains le
savent bien qui finissent tous par se réclamer
de ce succédané malheureux et décharné de
l'amour, qui s'appelle la morale. Les hommes
d'aujourd'hui peuvent peut-être tout maîtri-

ser en eux, et c'est leur grandeur. Mais il est
au moins une chose que la plupart d'entre
eux ne pourront jamais retrouver, c'est la
force d'amour qui leur a été enlevée. Voilà
pourquoi ils ont honte, en effet. Et il est bien
juste que les artistes partagent cette honte
puisqu'ils y ont contribué. Mais qu'ils sachent
dire au moins qu'ils ont honte d'eux-mêmes
et non pas de leur métier.

Car tout ce qui fait la dignité de l'art s'oppose à un tel monde et le récuse. L'œuvre
d'art, par le seul fait qu'elle existe, nie les
conquêtes de l'idéologie. Un des sens de l'histoire de demain est la lutte, déjà commencée,
entre les conquérants et les artistes. Tous deux
se proposent pourtant la même fin. L'action
politique et la création sont les deux faces
d'une même révolte contre les désordres du
monde. Dans les deux cas, on veut donner au
monde son unité. Et longtemps la cause de
l'artiste et celle du novateur politique ont été
confondues. L'ambition de Bonaparte est la
même que celle de Gœthe. Mais Bonaparte
nous a laissé le tambour dans les lycées et
Gœthe les *Elégies romaines*. Mais depuis que
les idéologies de l'efficacité, appuyées sur
la technique, sont intervenues, depuis que par
un subtil mouvement, le révolutionnaire est

devenu conquérant, les deux courants de pensée divergent. Car ce que cherche le conquérant de droite ou de gauche, ce n'est pas
l'unité qui est avant tout l'harmonie des con-
traires, c'est la totalité, qui est l'écrasement
des différences. L'artiste distingue là où le
conquérant nivelle. L'artiste qui vit et crée au
niveau de la chair et de la passion, sait que
rien n'est simple et que l'autre existe. Le
conquérant veut que l'autre n'existe pas, son
monde est un monde de maîtres et d'esclaves,
celui-là même où nous vivons. Le monde de
l'artiste est celui de la contestation vivante et
de la compréhension. Je ne connais pas une
seule grande œuvre qui se soit édifiée sur la
seule haine, alors que nous connaissons les
empires de la haine. Dans un temps où le
conquérant, par la logique même de son attitude, devient exécuteur et policier, l'artiste
est forcé d'être réfractaire. En face de la société politique contemporaine, la seule attitude cohérente de l'artiste, ou alors il lui faut
renoncer à l'art, c'est le refus sans concession. Il ne peut être, quand même il le voudrait, complice de ceux qui emploient le langage ou les moyens des idéologies contempo-
raines.

Voilà pourquoi il est vain et dérisoire de nous
demander justification et engagement. Enga-

gés, nous le sommes, quoique involontaire-
ment. Et, pour finir, ce n'est pas le combat
qui fait de nous des artistes, mais l'art qui
nous contraint à être des combattants. Par sa
fonction même, l'artiste est le témoin de la
liberté, et c'est une justification qu'il lui arrive de payer cher. Par sa fonction même, il
est engagé dans la plus inextricable épaisseur
de l'histoire, celle où étouffe la chair même
de l'homme. Le monde étant ce qu'il est, nous
y sommes engagés quoi que nous en ayons,
et nous sommes par nature les ennemis des
idoles abstraites qui y triomphent aujour-
d'hui, qu'elles soient nationales ou partisa-
nes. Non pas au nom de la morale et de la
vertu, comme on essaie de le faire croire, par
une duperie supplémentaire. Nous ne sommes
pas des vertueux. Et à voir l'air anthropomé-
trique que prend la vertu chez nos réforma-
teurs, il n'y a pas à le regretter. C'est au nom
de la passion de l'homme pour ce qu'il y a
d'unique en l'homme, que nous refuserons
toujours ces entreprises qui se couvrent de ce
qu'il y a de plus misérable dans la raison.

Mais ceci définit en même temps notre solidarité à tous. C'est parce que nous avons à
défendre le droit à la solitude de chacun que
nous ne serons plus jamais des solitaires. Nous
sommes pressés, nous ne pouvons pas œuvrer

tout seuls. Tolstoï a pu écrire, lui, sur une
guerre qu'il n'avait pas faite, le plus grand
roman de toutes les littératures. Nos guerres
à nous ne nous laissent le temps d'écrire sur
rien d'autre que sur elles-mêmes et, dans le
même moment, elles tuent Péguy et des milliers de jeunes poètes. Voilà pourquoi je
trouve, par-dessus nos différences qui peuvent
être grandes, que la réunion de ces hommes,
ce soir, a du sens. Au delà des frontières,
quelquefois sans le savoir, ils travaillent ensemble aux mille visages d'une même œuvre
qui s'élèvera face à la création totalitaire. Tous
ensemble, oui, et avec eux, ces milliers d'hommes qui tentent de dresser les formes silen-
cieuses de leurs créations dans le tumulte des
cités. Et avec eux, ceux-là mêmes qui ne sont
pas ici et qui par la force des choses nous re-
joindront un jour. Et ces autres aussi qui
croient pouvoir travailler pour l'idéologie
totalitaire par les moyens de leur art, alors
que dans le sein même de leur œuvre la puissance de l'art fait éclater la propagande, re-
vendique l'unité dont ils sont les vrais serviteurs, et les désigne à notre fraternité forcée
en même temps qu'à la méfiance de ceux qui
les emploient provisoirement.

Les vrais artistes ne font pas de bons vainqueurs politiques, car ils sont incapables d'ac-

cepter légèrement, ah, je le sais bien, la mort
de l'adversaire ! Ils sont du côté de la vie, non
de la mort. Ils sont les témoins de la chair,
non de la loi. Par leur vocation, ils sont condamnés à la compréhension de cela même qui
leur est ennemi. Cela ne signifie pas, au contraire, qu'ils soient incapables de juger du
bien et du mal. Mais, chez le pire criminel,
leur aptitude à vivre la vie d'autrui leur permet de reconnaître la constante justification
des hommes, qui est la douleur. Voilà ce qui
nous empêchera toujours de prononcer le
jugement absolu et, par conséquent, de ratifier le châtiment absolu. Dans le monde de la
condamnation à mort qui est le nôtre, les
artistes témoignent pour ce qui dans l'homme
refuse de mourir. Ennemis de personne, sinon
des bourreaux ! Et c'est ce qui les désignera
toujours, éternels Girondins, aux menaces et
aux coups de nos Montagnards en manchettes
de lustrine. Après tout, cette mauvaise position, par son incommodité même, fait leur
grandeur. Un jour viendra où tous le recon-
naîtront, et, respectueux de nos différences,
les plus valables d'entre nous cesseront alors
de se déchirer comme ils le font. Ils reconnaî-
tront que leur vocation la plus profonde est
de défendre jusqu'au bout le droit de leurs
adversaires à n'être pas de leur avis. Ils pro-

clameront, selon leur état, qu'il vaut mieux
se tromper sans assassiner personne et en laissant parler les autres que d'avoir raison au
milieu du silence et des charniers. Ils essaie-
ront de démontrer que si les révolutions peuvent réussir par la violence, elles ne peuvent
se maintenir que par le dialogue. Et ils sauront alors que cette singulière vocation leur
crée la plus bouleversante des fraternités, celle
des combats douteux et des grandeurs menacées, celle qui, à travers tous les âges de l'intelligence, n'a jamais cessé de lutter pour
affirmer contre les abstractions de l'histoire
ce qui dépasse toute histoire, et qui est la
chair, qu'elle soit souffrante ou qu'elle soit
heureuse. Toute l'Europe d'aujourd'hui, dres-
sée dans sa superbe, leur crie que cette entreprise est dérisoire et vaine. Mais nous sommes
tous au monde pour démontrer le contraire.

TABLE

IMPRIMERIE DE LAGNY
EMMANUEL GREVIN ET FILS
- - - - - 3-1962 - - - - -

Dépôt légal : 2 trimestre 1950.
N° d'Éd. 8726. — N° d'Imp. 6928.

Imprimé en France.

DATE DUE

DE 12 '85			
GAYLORD			PRINTED IN U.S.A.